O CORPO FALA

FICHA CATALOGRÁFICA
(Preparada pelo Centro de Catalogação-na-fonte do Sindicato Nacional dos Editores de Livros, RJ)

Weil, Pierre.
  O corpo fala : a linguagem silenciosa da comunicação não verbal, por Pierre Weil e Roland Tompakow. 75. ed. Petrópolis: Vozes, 2023.

  3ª reimpressão, 2024.

  ISBN 978-85-326-0208-4

  1. Comunicação 2. Expressão corporal (Psicologia)
I. Tompakow, Roland II. Título.

	CDD- 17ª – 419
	18ª – 001.56
	17ª – 152.384
73-0026	18ª – 152.3840147

O CORPO FALA

A linguagem silenciosa da comunicação não verbal

PIERRE WEIL

Doutor em Psicologia pela Universidade de Paris, Professor na Universidade de Minas Gerais, Diretor do Centro de Psicologia Aplicada – RJ, especialista em Psicoterapia de Grupo e Psicodrama e autor de vários livros editados em diversos países, incluindo o conhecido best-seller *Relações humanas na família e no trabalho*.

ROLAND TOMPAKOW

Professor de Comunicações dos Cursos de Administração de Empresas da Fundação Getúlio Vargas – RJ, artista gráfico, técnico em Informática Visual, jornalista, assessor de Informática em Marketing de várias empresas e coordenador dos registros de Cinésica do grupo de pesquisas chefiado pelo Prof. Pierre Weil.

EDITORA VOZES

Petrópolis

© 1973 Editora Vozes Ltda.
Rua Frei Luís, 100
25689-900 Petrópolis, RJ
www.vozes.com.br
Brasil

Todos os direitos reservados. Nenhuma parte desta obra poderá ser reproduzida ou transmitida por qualquer forma e/ou quaisquer meios (eletrônico ou mecânico, incluindo fotocópia e gravação) ou arquivada em qualquer sistema ou banco de dados sem permissão escrita da editora.

CONSELHO EDITORIAL

Diretor
Volney J. Berkenbrock

Editores
Aline dos Santos Carneiro
Edrian Josué Pasini
Marilac Loraine Oleniki
Welder Lancieri Marchini

Conselheiros
Elói Dionísio Piva
Francisco Morás
Gilberto Gonçalves Garcia
Ludovico Garmus
Teobaldo Heidemann

Secretário executivo
Leonardo A.R.T. dos Santos

PRODUÇÃO EDITORIAL

Aline L.R. de Barros
Marcelo Telles
Mirela de Oliveira
Otaviano M. Cunha
Rafael de Oliveira
Samuel Rezende
Vanessa Luz
Verônica M. Guedes

Conselho de projetos editoriais
Isabelle Theodora R.S. Martins
Luísa Ramos M. Lorenzi
Natália França
Priscilla A.F. Alves

Diagramação: Sheilandre Desenv. Gráfico

ISBN 978-85-326-0208-4

Este livro foi composto e impresso pela Editora Vozes Ltda.

Sumário

Primeira Parte – PRINCÍPIOS

Capítulo 1 – Convite a um passeio, 13

Capítulo 2 – Os símbolos, 23

Capítulo 3 – Perceber em vez de olhar, 39

Capítulo 4 – Análise de um sorriso, 45

Capítulo 5 – Harmonia e desarmonia, 53

Capítulo 6 – Comportamento interpessoal, 61

Capítulo 7 – Origens antigas dos gestos de hoje, 69

Capítulo 8 – *Intermezzo* 1, 79

Capítulo 9 – Quatro princípios básicos, 85

Capítulo 10 – A energia no corpo humano, 93

Capítulo 11 – *Intermezzo* 2, 105

Segunda Parte – APLICAÇÕES PRÁTICAS

Capítulo 12 – Vocabulário prático, 119

Capítulo 13 – O amor e sua expressão corporal, 191
    1 – As mensagens individuais, 191

Capítulo 14 – O amor e sua expressão corporal, 203
    2 – A troca energética, 203

Capítulo 15 – Fronteiras invisíveis, 219

Capítulo 16 – Podemos dominar a linguagem do nosso corpo?, 245

Capítulo 17 – Métodos de modificação psicossomática do homem, 261

Conclusão – A unidade do Ser, 275

Índice dos semantemas, 278

Índice analítico, 279

O corpo fala sem palavras

PELA LINGUAGEM DO CORPO, VOCÊ
DIZ MUITAS COISAS AOS OUTROS.
E ELES TÊM MUITAS COISAS A
DIZER PARA VOCÊ.
TAMBÉM NOSSO CORPO É ANTES DE TUDO
UM CENTRO DE INFORMAÇÕES PARA NÓS MESMOS.

É UMA LINGUAGEM QUE NÃO MENTE,
E CUJA ESTRUTURA É DEMONSTRADA
NAS PÁGINAS QUE VOCÊ TEM AGORA
EM SUAS MÃOS.

ELAS DARÃO A VOCÊ UMA NOVA
DIMENSÃO NA COMUNICAÇÃO PESSOAL.

HOMEM OU MULHER, JOVEM OU MADURO,
CASADO OU SOLTEIRO, QUALQUER QUE
SEJA SUA PROFISSÃO OU FUNÇÃO –
ESTE LIVRO FOI ESCRITO PARA TODO
SER HUMANO.

POIS TODO SER HUMANO TEM QUE LIDAR
CONSIGO MESMO E COM OS OUTROS.

Por que este livro é "diferente"?

Porque trata de um aspecto do comportamento humano que *não pode ser transmitido satisfatoriamente por meras palavras* – ainda que, depois de escritas, fossem complementadas por ilustrações em paralelo.

Tentar ler o texto sem os desenhos seria como não olhar para a tela do cinema, apenas ouvindo as palavras dos artistas do filme.

O enredo se perderia.

E tentar olhar apenas os desenhos seria contemplar a tela com o som desligado.

Juntos, formam uma unidade de comunicação intensa, clara, simples – e até divertida!

Que espécie de literatura é isso?

Em relação ao tema que aborda, este livro constitui um ousado avanço na fronteira da Informática moderna, aliando a técnica de trabalho em grupo à criatividade *copy-art* para obter uma obra totalmente unificada.

O tema abrange a comunicação psicossomática inconsciente do próprio leitor – e por isso o fascina, diverte, desafia e esclarece ao mesmo tempo!

Para tanto, foi preciso unir o psicólogo ao artista, ambos escritores e educadores. Então o conjunto (unidade-texto-arte) de cada capítulo era planejado em comum pelos dois autores, e o texto escrito por um, refundido pelo outro, e então testado e reexaminado em conjunto. Este procedimento era repetido até se obter *uma mensagem semân-*

tica una com os desenhos. Estes por sua vez eram também traçados e retraçados tanto pelo Pierre como pelo Roland, até a sua finalização por este último.

Neste intenso trabalho de equipe, concessões mútuas tiveram de ser feitas. O artista teve de disciplinar até certo ponto o seu estilo verbal jocoso, o que nem sempre conseguiu. O cientista por sua vez teve, muito a contragosto, de arriscar o seu bom conceito junto a seus colegas.

Mas como o mostra McLuhan, a velha didática *"ex-cathedra"* cedeu lugar à comunicação direta da realidade. Que estará diante dos olhos do leitor nas páginas a seguir.

Primeira Parte

PRINCÍPIOS

Capítulo 1
CONVITE A UM PASSEIO

Antes de mais nada, folheie um pouco este livro! – Você vai passear de balão ou de dirigível. – É mais fácil usar o alfabeto do que descobri-lo. – Você conhecerá três animais que vão fazer parte do seu vocabulário de cada dia!

Alguém à sua frente cruza ou descruza os braços, muda a posição do pé esquerdo ou vira as palmas das mãos para cima. Tudo isso são gestos inconscientes e que, por isso mesmo, se relacionam com o que se passa no íntimo das pessoas.

Quer saber o que significam?

Pronto? Então você pode começar a leitura.

NESTE LIVRO VOCÊ VAI CONHECER ESSA FASCINANTE LINGUAGEM DO CORPO HUMANO DE MANEIRA FÁCIL, PRÁTICA E DIVERTIDA, ISTO LHE PERMITIRÁ LIDAR MELHOR CONSIGO MESMO E COM OS OUTROS. MAS, ANTES DE LER MAIS ADIANTE, FOLHEIE UM POUCO AS SUAS PÁGINAS.

Você notou duas coisas: que há uma porção de desenhos em estilo alegre, e que o texto às vezes tem trechos em letras maiores, às vezes em menores.

Isto é para que você possa se divertir de duas maneiras diferentes.

1. Se quiser, você pode apreciar o texto por alto, numa leitura de passatempo.

Basta ler apenas o texto em letra maior, como acima, saltando os parágrafos como este (Verificará como, depois da *última* palavra em letra maior – neste exemplo, foi a palavra "passatempo" –, sempre será possível continuar o fluxo das ideias, reiniciando sem pausa a leitura no trecho *seguinte* em letra maior).

E você poderá entender as ilustrações sem se preocupar de fazer disso um estudo, enquanto nós, os autores, levaremos você a passeio por novas e fascinantes noções do comportamento humano.

Mesmo lendo assim, você vai se surpreender com a quantidade de gestos que conseguirá decifrar no fim da leitura.

2. Você pode ler para *aprender* em vez de apenas conhecer.

Então leia tudo, inclusive os trechos menores, a não ser que estes citem fatos já do seu conhecimento. E *estude* as ilustrações. Leia, experimentando "dirigir o balão", enquanto os autores vão girando a hélice...

Talvez você pense que essa aprendizagem um tanto aérea seja difícil ou trabalhosa. Então cabe a pergunta:

VOCÊ SABE ANDAR DE BICICLETA?

No princípio, você teve (ou terá) a impressão que não é fácil transformar os seus reflexos, condicionados aos seus hábitos de pedestre, nas reações inconscientes do ciclista. Mas,

para aprender a coordenar alguns dos movimentos básicos, existe o triciclo. Nele você não tem problema de equilibrar-se.

O equilíbrio pode ser aprendido numa patinete, sem ter que aprender a pedalar.

E você decerto não faz questão de ser logo ciclista acrobático de circo; basta-lhe o prazer de saber pedalar alegremente pelo parque. Daí em diante, seu desembaraço aumentará sem você sentir, com a prática.

Pois bem, absorver nossa matéria será semelhante a isso, com uma diferença importante: você não vai sentir cansaço – nem físico nem mental.

O PROGRESSO SERÁ RÁPIDO

Provavelmente, você vai começar a "ler" a linguagem do corpo humano mais depressa do que aquele ciclismo do parque – mesmo porque não há tombos a temer. Dependerá apenas do grau de interesse que sentir pelo assunto.

COMO FOI QUE APRENDEMOS A LER?

Houve quem aprendesse o valor das letras do alfabeto, mas não as decorou todas de uma só vez; à medida que foi conhecendo as primeiras letras, fixou o seu valor na mente por meio das curtas palavras bem simples da cartilha.

Depois, não precisou mais dela. Reconheceu, de pronto, os fonemas já seus conhecidos, mas arrumados em ordem diferente nas novas palavras. Assim, sabendo que "bo" e "ca", nesta ordem, significa "bo-ca", descobriu que, trocada a posição das duas sílabas, o conjunto "ca" e "bo" significa "ca-bo". Nesta fase, já entrou o "método global" de leitura, hoje usado em toda parte.

É o método seguido neste livro. Basta que as primeiras "palavras" sejam simples, e as suas "letras" poucas e claras.

O significado destas primeiras "palavras" pouco importa, nem interessa se são aprendidas, por exemplo, em ordem alfabética.

São, acima de tudo, mero material didático, embora constituam, decerto, uma espécie de vocabulário para o principiante. Mas, à medida que o leitor avançar na leitura, perceberá o que o corpo fala pelo mesmo "método global".

DICIONÁRIO SERVE?

Um "DICIONÁRIO TOTAL", ainda que fosse exequível, dificilmente bastaria para você aprender a "ler" as atitudes corporais.

Seria como se, em vez da cartilha, usássemos uma coleção completa de todas as assinaturas em cheques existentes nos bancos do país, e obrigássemos uma criança a aprender a ler com aquilo. Para começar, em que ordem classificar aquela montanha de riscos mais ou menos emaranhados?

VAI SER MAIS FÁCIL DO QUE VOCÊ PENSA!

Ainda mais difícil que esta imaginária atividade com "cheques para aprender a ler" é o pesado trabalho de pesquisa analítica da linguagem do corpo, em oposição à leve síntese didática deste livro.

É o caso da obra de Ray L. Birdwhistell e colaboradores, cuja extensa pesquisa exigiu décadas de dedicação total para aflorar de leve o assunto.

Birdwhistell estima em 2.500 a 5.000 – e às vezes até 10.000 "bits" (unidades simples) – o número de sinais informativos que fluem, POR SEGUNDO, entre duas pessoas. Isto, evidentemente, inclui todas as mudanças que possam, em grau mínimo, ser discernidas por aparelhos registradores de alterações nas faixas percebidas como som, imagem, temperatura, tato, odor corporal etc.

Mas não é o nosso caso, pode ficar tranquilo.

Saber o significado dos gestos e atitudes do Homem (a nova Ciência da CINÉSICA) é basicamente simples.

Mas não é fácil chegar até essa base, tal a quantidade de "assinaturas" que lhe escondem o seu "alfabeto". Precisamos ir devagar.

Então por que não nos divertirmos nesta caminhada? Ela nos dará uma esplêndida oportunidade de entender melhor a todo mundo.

O DESAFIO AOS TRÊS ANIMAIS

A seguir vamos conhecer o significado de um símbolo antiquíssimo que o leitor nunca mais esquecerá.

E três bichos de estimação que provavelmente vão fazer parte do nosso vocabulário para o resto da vida. Vamos desafiá--los no capítulo seguinte.

Capítulo 2
OS SÍMBOLOS

Símbolos, ferramentas da mente. – Um símbolo antigo dá-nos a estrutura psicossomática do homem e da linguagem do nosso corpo. – Vamos conhecer o boi oferecendo-lhe um prato de bolo. – O leão que estufa e encolhe. – A águia de motocicleta. – Primeiro contato do leitor com a evidência de um conflito entre duas expressões corporais simultâneas, mas opostas!

O REALCE DAS PARTES DO CORPO

Desde tempos imemoriais, usamos símbolos – mensagens sintéticas de significado convencional. São como ferramentas especializadas que a inteligência humana cria e procura padronizar para facilitar a sua própria tarefa – a imensa e incansável tarefa de compreender.

A característica dominante do símbolo é fugir da palavra ou frase, escrita por extenso. Frase já é grupo de símbolos (palavras), por sua vez também compostas de símbolos (letras) de fugazes vibrações sonoras. E tudo isso sujeito a um código gramatical de origem empírica e lastrado com a inevitável imprecisão semântica, especialmente a deterioração do significado percebido através de gerações.

John Wallis, criando aquele "oito deitado" (∞), resolveu o problema da transmissão inconfundível do conceito do infinito. E René Descartes sintetizou ainda mais a já sintética notação algébrica, escrevendo x^3 no lugar de xxx – eis alguns exemplos recentes.

Já o uso das próprias letras se perde nos primórdios das civilizações – mas podemos recuar ainda mais no tempo:

Eis um peludo Homem das Cavernas percebendo um fruto vermelho, maduro, destacando-se vivamente da escura folhagem do fundo! Ou o sangue brotando vermelho de uma ferida! Ou o rubro fogo ameaçador, alastrando-se no capinzal seco! Em linguagem da Teoria de Comunicação, ele percebeu um "Sinal" destacando-se como mensagem prioritária sobre o "ruído de fundo". Algo com elevada "taxa de originalidade" em detrimento do fundo "banal", dado o seu interesse pessoal (sobrevivência em jogo). De mera cor passou a ser símbolo de algo importante. E, milhões de anos mais tarde, esta cor ainda exige, em certas circunstâncias, a nossa atenção e *feedback* específicos – antes que

o guarda de trânsito nos pegue avançando aquele sinal vermelho!

Sim, vem de longe, da noite dos tempos, o significado de muitas coisas. Aquele carro do Corpo de Bombeiros foi pintado hoje – mas o simbolismo da sua pintura nos fala uma linguagem tão antiga como o próprio fogo. Tão antiga como a linguagem dos nossos gestos, das nossas atitudes com relação ao meio que, neste livro, tentamos descodificar.

Usemos, então, um símbolo: podemos comparar o corpo humano a uma esfinge; sim – àquela esfinge dos egípcios ou dos assírios. Como, por exemplo, a desta ilustração (Esfinge assíria de Khorsabad, chamada Kerub).

Uma gramática antiga para a mais antiga linguagem

A esfinge era composta de quatro partes:

> CORPO DE BOI
> TÓRAX DE LEÃO
> ASAS DE ÁGUIA
> CABEÇA DE HOMEM

Ora, existe uma tradição muito antiga* segundo a qual cada uma destas partes representa uma parte do físico do homem e também a sua correspondência psicológica! Estas correspondências psicológicas não mudaram muito, até na psicologia moderna. Eis o esquema desta tradição:

Boi	*Abdômen*	Vida instintiva e vegetativa
Leão	*Tórax*	Vida emocional
Águia	*Cabeça*	Vida mental (intelectual e espiritual)
Homem	*Conjunto*	Consciência e domínio dos três inconscientes anteriores.

* Para os interessados na fundamentação histórica e científica: consultar o livro *Esfinge, estrutura e mistério do homem*. Pierre Weil. Petrópolis: Vozes.

O mesmo esquema pode ser mostrado assim (para tornar a matéria em estudo mais leve e ajudar a fixar o pensamento do leitor):

Este esquema pode ser aplicado facilmente à expressão corporal. Vamos, então, utilizar o velho símbolo como se fosse uma espécie de protogramática – ou, para sermos mais modestos – de minigramática da linguagem do corpo.

O Boi

O Boi, quando colocado em evidência na nossa expressão corporal, tende a se traduzir por uma acentuação do abdômen. A pessoa *avança o abdômen*; isto se encontra em gente que gosta de boas refeições, que se senta à vontade diante de uma farta mesa de jantar.

No plano sexual temos o famoso requebrar das mulheres brasileiras e havaianas; é uma provocação para os homens. Estes, por sua vez, engancham os polegares no cinto, com os outros dedos apontados para os órgãos genitais; é uma maneira de se oferecer...

Gramática é para ser usada. E queremos que o leitor aprenda a ler o que os corpos dos seus semelhantes falam diante dos seus olhos.

Vamos, pois, aos "deveres de casa".

Exercício n. 1: na próxima reunião social, "observe o boi"! Haverá os casos óbvios, bem fáceis, como convém numa primeira lição. É aquele senhor maduro, de abdômen hipertrofiado, intensamente atento ao conteúdo transbordante do seu prato e do seu copo. Ou aquele rapaz bonitão, mas irritante, porque desrespeita qualquer mulher presente com suas constantes atitudes lúbricas.

Estes são corpos falando como se as palavras fossem gravadas em placas de bronze. São duráveis monumentos ao boi. Fáceis demais? Concordamos. Mas, se formos realmente perspicazes, dentro de poucos minutos descobriremos que outros corpos tomam, *durante certo tempo*, aquelas mesmas atitudes correspondentes à vida instintiva e vegetativa!

É aquele jovem magro que (sinceramente ou não) recusa o terceiro prato (ou será o quarto?) e que, *durante um instante*, avança o abdômen, ilustrando o motivo da recusa – a barriga supostamente repleta!

Mas, ei-lo um minuto mais tarde, a barriga encolhida, mas os polegares no cinto! E bem capaz de aceitar o prato. E a jovem, que antes andava meio encolhida, sai requebrando durante uns dois ou três passos, antes de voltar ao seu ritmo usual. E assim ambos, naquele breve encontro, mostraram, em linguagem do corpo, o que se passava na esfera da sua vida instintiva e vegetativa.

O Leão

O Leão se evidencia pelo tórax onde reside o coração; é o centro da emoção. Os especialistas em expressão corporal, sobretudo os coreógrafos, o consideram como o centro do EU.

1. Assim, quando há uma postura de *preponderância* do tórax, estamos em presença de uma *preponderância do EU*. São pessoas vaidosas, egocêntricas e extremamente narcisistas; ou que *naquele momento* querem se impor.

2. Ao contrário, quando o *tórax está encolhido*, estamos em presença de uma pessoa cujo *EU está diminuído*; são pessoas tímidas, submissas, retraídas ou que naquele momento se sentem dominadas pela situação.

3. Um tórax em postura *normal* significa um *EU equilibrado*.

Como na "lição" anterior, também aqui as pessoas se situam entre os dois extremos. Por um lado, o "homem forte" do circo se sente na obrigação profissional de exibir-se *a todo momento* de peito estufado; por outro lado, observemos aquele franzino motorista particular diante do seu antagonista do caminhão que acaba de amarrotar-lhe o carrinho! Tem o seu *raro e breve momento* de postura de hipertrofia do EU.

Vamos, pois, ao **exercício n. 2:** Procure reconhecer aquela postura. Converse, por exemplo, com um amigo, fazendo com que ele relate alguma proeza ou sucesso concernente à sua vida emocional e observe a modificação para maior ênfase da sua região torácica. "Observe o Leão!"

Bipolaridade Vitória-Derrota: para um dos motociclistas, sua máquina é símbolo de poder sobre o meio ambiente social; para o outro, é rejeição – nada deseja da sociedade de consumo senão aquele símbolo de poder de fuga da mesma. A mesma bipolaridade é acentuada entre o nobre britânico que trota rumo ao socialmente invejável massacre da raposa e o garimpeiro que nada achou no deserto. Ou a diferença entre o rapaz, quando solitário e quando bem acompanhado.

Observe o tórax, ora convexo, ora côncavo. Vastamente exagerado na caricatura didática, não deixa de tomar estas mesmas posições, em movimentos muito mais discretos e passageiros, na vida real.

Podemos observar também o estado emocional da pessoa olhando atentamente para o seu tórax:

1. Aumento da respiração significa tensão e forte emoção.

2. Suspiros são indicadores de ansiedade e angústia.

3. Caso a pessoa estiver apenas levemente vestida, pode-se observar o palpitar do coração; o aumento do ritmo cardíaco é também indicador de forte emoção.

A respiração é comandada por um centro cerebral; é normalmente ritmada e com determinada amplitude (entra sempre uma mesma quantidade de ar, de cada vez, nos pulmões). Mas a vontade do indivíduo pode modificar os seus próprios movimentos respiratórios, desde a bradipneia (diminuição) até a taquipneia (aumento de frequência dos movimentos). E a amplitude pode variar de superficial até profunda (o suspiro é um ciclo inspiração-expiração de amplitude nitidamente maior que os antecedentes).

Daí, conforme as circunstâncias, não convém que a intenção do observador seja percebida pelo observado – ele pode modificar de propósito o seu ritmo respiratório. (É um recurso comumente usado em medicina: o doutor ostensivamente toma o pulso do paciente para exame das batidas cardíacas, mas na realidade completa o exame olhando, de soslaio, o movimento torácico sem que o paciente o perceba.)

O movimento inspiratório é ativo. Nele entra em ação o diafragma (músculo côncavo que separa o tórax do abdômen), os intercostais, as costelas e certos músculos abdominais. O movimento expiratório é passivo. Tem um tempo mais longo que o primeiro, na proporção de 10 para 16, aproximadamente. Na mulher, além do diafragma, a respiração é acionada mais pelas costelas e músculos intercostais. Daí serem mais perceptíveis na movimentação mais nítida do tórax.

Já no homem, a tendência é para movimentar mais a parede abdominal.

A respiração masculina é, em média, de 16 a 20 movimentos completos (inspiração e expiração) por minuto. Esta normopneia é de frequência maior na mulher, e ainda maior na criança.

Cuidado, pois, para não fazer interpretações precipitadas. Exemplo: Alguém passa um longo período debruçado sobre papelada numa escrivaninha baixa. Ei-lo, periodicamente, como que suspirando. Não está escrevendo coisas tristes: é apenas carboxiemoglobina em excesso acumulada no plasma do seu sangue. Aquele suspiro é como uma válvula da panela de pressão chiando; só que, em vez de vapor, é gás carbônico.

A Águia

A Águia, representada pela cabeça, nos indica o estado de controle do corpo pela mente.

1. Cabeça erguida significa hipertrofia do controle mental.

2. Ao contrário, cabeça baixa significa que o indivíduo é controlado pelos estímulos externos.

3. Cabeça em posição normal indica um controle normal da mente.

Reexamine o leitor a ilustração dos dois motociclistas – a posição da cabeça diz a mesma coisa que a do tórax, reforçando harmonicamente a mensagem do corpo.

O exercício n. 3 é, portanto, óbvio. Nós, ocidentais, estamos infinitamente mais habituados a observar expressões na cabeça do que no restante do corpo das pessoas.

Nosso retrato, nos documentos que nos identificam, não inclui o corpo, e a descrição por escrito tenta definir-nos por detalhes faciais –

não cita, jamais, o tamanho do nosso pé ou (ainda bem, em tantos casos!) da nossa cintura!

Enquanto isso, nas culturas asiáticas as representações da figura humana a buscam inteira, em expressivas atitudes corporais propositadamente significativas. O leitor, decerto, já viu uma estatueta de Buda. Um busto de Buda, nunca! A inferência é clara: A cultura do Oriente percebe mais a linguagem do corpo do que nós, integrando em Gestalt o que nós, neste estudo, buscamos reconstruir de fragmentos de Esfinge.

Mas voltemos, modestamente, ao exercício da "águia".

Por exemplo: nas moedas das culturas ocidentais de todos os tempos encontraremos mais material didático para nos treinar a observação embotada: os perfis dos monarcas nunca estão cabisbaixos; a sua atitude é de mostrar que enxergam longe, dominando o futuro!

Observe sempre a atitude da cabeça, se quiser perceber a intensidade do domínio intelectual e espiritual daquela mente, *naquele instante*, aprovando ou rejeitando as emoções e instintos do seu corpo.

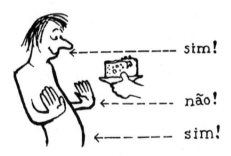

Olhemos de novo esta ilustração que estudamos ao "observar o boi", isto é, a parte referente à vida instintiva e vegetativa. Havíamos notado o realce da parte abdominal, dizendo da aprovação, naquela esfera, da alimentação. A "águia" diz a mesma coisa; a cabeça sorridente e atenta avança em direção ao prato. A mente, portanto, aprova também, em princípio, a oferenda e educadamente manda apenas braços e mãos exercer o gesto de recusa " de caso pensado".

É a imagem perfeita de um dilema.

Vamos, nos desenhos seguintes, eliminar essa contradição e obter duas concordâncias totais entre os componentes da mensagem total.

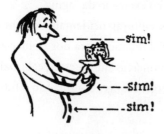 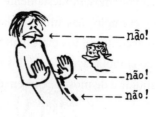

Basta modificar braços e mãos sem mexer no resto: cabeça, membros superiores e abdômen dizem: *aceitação*!

Ou então a "águia" mostrará desaprovação na posição e expressão da cabeça, e do avanço abdominal passamos ao recuo geral: *rejeição*!

PERMUTAS E COMBINAÇÕES EM INTERAÇÕES CONSTANTES

No fim da "lição" anterior já avançamos a uma situação em que "águia" aprova em princípio, mas discorda na prática; domina o "boi", num conflito muito comum de se observar. E demonstramos, nos últimos desenhos, as duas soluções bipolarmente opostas – aceitação ou rejeição – mas ambas agora sem contradição entre os campos psicológicos em jogo!

O leitor, a esta altura, já está assustado. Percebe que lidamos, possivelmente, com um alfabeto de componentes básicos simples, mas com um número infinito de permutas e combinações, dadas as igualmente infinitas variações de intensidade de infinitas expressões corporais que, por sua vez, podem ser concordantes ou antagônicas e variar no tempo, entre o fugaz e o constante.

Lembre-se porém que nós, estudantes, somos feitos da *mesma matéria que a matéria sob estudo!*

Então, por que não entender-nos a nós mesmos? Usemos a cabeça!

Uma boa maneira de usarmos a cabeça está sob o título seguinte, ou seja: Uma pausa para o leitor.

Capítulo 3
PERCEBER EM VEZ DE OLHAR

Uma pausa para o leitor. – Não só o latim é língua morta; a linguagem do corpo também, se apenas estudada em livro. – Convite para fechar estas páginas e olhar se as bolsas estão nos colos das mulheres. – Errar pouco importa; o importante é você se habituar a perceber em vez de apenas olhar!

UMA PAUSA PARA O LEITOR

Como toda gente, nós – Pierre e Roland – sentimos às vezes saudade dos nossos tempos de infância. *Menos* daquelas horas de tortura lenta, chamada aulas de latim.

Hoje dominamos (bem, razoavelmente ou mais ou menos; depende) o inglês, alemão, francês e português, o que por sua vez permite arriscar o espanhol e adivinhar parcialmente o sentido de um parágrafo simples em italiano, ou até mesmo uma legenda de fotografia em holandês. Mas não nos peçam para decifrar uma inscrição latina!

Eis a razão:

Jamais tivemos o prazer de ouvir alguém a nosso lado reclamar *em latim* a cerveja que o garçom esquecera de lhe trazer! Porque, se assim fosse, também observaríamos o garçom trazendo a cerveja. E assim daria para deduzir o significado daquela mensagem verbal. (Quanto à visual, tal como representada no desenho acima, até garçom que não sabe latim dá para perceber alguma coisa!) Estaríamos absorvendo do ambiente a presença viva de mais uma língua em vez de tentar ressuscitá-la de túmulos feitos de papel e tinta.

Ninguém consegue a percepção fluente de uma língua se apenas a estuda em livros. Mesmo em se tratando da única língua universal; mesmo que, inconscientemente, todos nós nos expressemos por seu intermédio. Certo, conhecemos alguma coisa; sabemos distinguir entre o rosto zangado e o alegre, a bofetada e a carícia. Mas percebe o leitor o que lhe diz, sem palavras – nos dois desenhos abaixo – uma senhora que o visita em sua casa?

Observemos: no desenho à esquerda ela ainda está com a bolsa no colo. Sua atitude física diz: Ainda não estou à vontade! No desenho seguinte, já largou a bolsa no sofá. Com isto diz: já adquiri confiança no ambiente; já estou me sentindo à vontade!

(Pausa. Aplausos. Os autores são vivamente cumprimentados pelo leitor.)

Faça, então, o leitor uma pausa na leitura. Torne a folhear, por um ou dois minutos, as páginas anteriores. Isto o ajudará a fixar mais conscientemente o que absorveu; as quatro partes da esfinge. (E que nos perdoe o uso de tão arcaico símbolo, mas como método mnemônico ainda funciona melhor que dizer toda hora: Vida Instintiva e Vegetativa, Vida Mental, ou Consciência e Domínio etc. – não acham?)

Depois ponha em prática o que aprendeu! Faça o que nós fizemos. Observe.

À sua volta, a linguagem muda das atitudes corporais prossegue, constantemente, com toda a eloquência da própria vida que fala das suas relações humanas. Mais adiante, encontrará pormenores, mas o importante é, agora, *acostumar-se* a observar.

Procure classificar dentro do esquema básico apresentado o que se passa à sua volta! Trate de decifrar as *suas* esfinges e divirta-se!

Uma advertência: Você vai errar! Você descobre logo de início duas pessoas, sentadas uma diante da outra, numa reunião social. Estão descontraídas, mergulhadas em conversa mutuamente atraente. Instintivamente cruzam e descruzam pernas, tomam diversas posições de braços e tórax, uma praticamente imitando a outra. Isto sem dúvida é sinal de simpatia entre ambas. E tem mais, quem primeiro modificar a posição (logo a seguir imitada pela outra) é o líder momentâneo da conversa.

Então você, surpreso e entusiasmado pela facilidade inicial com que passa a perceber estes fenômenos, vai errar!

Aconteceu com o Roland, num coquetel muito concorrido de inauguração de um Salão de Belas-Artes. Ei-lo plantado firme diante de um quadro (dele, "por coincidência") quando uma bonita jovem a seu lado deixou cair o catálogo. Ele chegou a esboçar um início quase imperceptível do ato de abaixar-se, mas reprimiu-o logo e, imediatamente, "descobriu" um pintor amigo do outro lado da sala. Com expressão de ter encontrado o Filho Pródigo, disparou naquela direção, fingindo não perceber o pequeno incidente.

Homem desinteressado naquela jovem a ponto de ser grosseiro! Egocêntrico! Mal-educado!

Bem, na verdade houve o seguinte: ele chegou a murmurar entre dentes para a jovem (que era a senhora dele) a palavra "calças", antes de agir daquela maneira. Porque estava estreando um par daquelas calças modernas apertadas; ambos já haviam percebido uns estalos em certas costuras estratégicas e simplesmente era por demais arriscado abaixar-se!

Errar é natural; é errando que se aprende. Você está em terra estranha; seu vocabulário é restrito; seus (e nossos!) conhecimentos da estrutura daquela linguagem são ainda poucos. A regra é: USE o que você sabe e não se preocupe com a perfeição impossível!

Você só não pode se arvorar em professor daquela língua ainda estranha. *Mas pratique alegremente que o resultado é certo!* Você já sabe, pelo menos, que não convém tentar, digamos, vender um seguro para aquela senhora enquanto ela não largar a bolsa do colo!

Capítulo 4
ANÁLISE DE UM SORRISO

A cabeça. – A imensa importância da região ocular. – Avançamos muito na nossa capacidade de análise: Já somamos e subtraímos pormenores simples para distinguir entre três sorrisos desagradáveis. – Cinco a zero é o escore do sorriso que não encontrou oposição no seu próprio rosto.

ANÁLISE DE UM SORRISO

Então, de volta às nossas páginas? Esperamos sinceramente que tenha aproveitado bem a pausa treinando a sua acuidade de observador. Não se preocupe se pouco *entendeu* do que percebeu; o importante foi *perceber* conscientemente o que antes seus olhos apenas enviavam ao seu arquivo mental, sem cópia para o Departamento de Pesquisa que você tem no seu interior "águia".

Você percebeu atitudes do corpo inteiro e certamente não deixou de observar as expressões dos rostos. Retomemos então o nosso alegre estudo.

Na própria cabeça temos representados os três animais:

O boi, representado pela boca por onde entram os alimentos.

O leão, representado pelo nariz onde entra o oxigênio para os pulmões.

A águia, representada pelos olhos que são o espelho da mente.

A região ocular é de imensa importância expressiva; revela, como todos sabem, a atitude da mente. Quem não é capaz de fazer uma lista mais ou menos nestes termos?

Sobrancelhas abaixadas: concentração, reflexão, seriedade;

Sobrancelhas levantadas: surpresa, espanto, alegria;

Olhos brilhantes: entusiasmo, alegria;

Olhos baços: desânimo, tristeza.

Ou então algo parecido com isto quanto aos lábios:
Arqueados para cima: prazer, alegria, satisfação;
Arqueados para baixo: desprazer, tristeza, insatisfação;
Em bico: dúvida, contrariedade, raiva.

Mas basta de enumerações enfadonhas! Que lista estranha, banal, imprecisa! A bipolaridade prazer-desprazer parece lógica, tendo-se em conta a oposição geométrica dos traçados sorriso-muxoxo. Já outros casos parecem pouco claros. Tudo isto é muito vago, não é?

Pois bem, é exatamente o que queremos transmitir ao leitor: só com listas de palavras quase nada esclarecemos! A abundância de expressões possíveis a qualquer rosto faz-nos sorrir das pobres combinações convencionais de meros vinte e poucos caracteres tipográficos.

VAMOS SORRIR?

Sorrir, como? Certamente não deste desenho; o que ali está acontecendo é maldade! No entanto, todos nele estão sorrindo, todos têm os cantos da boca em curva ascendente!

Analisemos. Qual é a característica principal de um sorriso, a sua nota dominante? Cantos da boca para cima?

Muito bem; então vamos marcar esse pormenor com um sinal positivo (+). Mas vamos marcar também as outras características. Usaremos o mesmo sinal (+), quando estiverem em harmonia com a dominante. E marcaremos as discordantes com um sinal negativo (-).

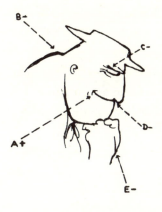

A. Canto curva para cima: basicamente um sorriso.

B. Costas encurvadas; cabeça encolhida entre ombros: atitude de animal à espreita de inimigo; agressividade.

C. Músculo orbicular das pálpebras contraído: observação aguda, firme.

D. Lábios comprimidos: propósito firme.

E. Queixo apoiado nas mãos: espera firme, paciente, desafiadora.

> Resultado: 4 negativos X 1 positivo, neste sorriso-maldade.

A. Meio sorriso unilateral.

B. Distensão do músculo orbicular mais contração do frontal: surpresa mais desaprovação.

C. Músculos elevadores do lábio superior, zigomáticos, bucinador e risórius em contração: amargura; de um só lado: amargura temperada com senso de futilidade.

> Resultado: 2,5 negativos X 0,5 positivo, neste sorriso-resignação.

A. Canto curvo do sorriso básico.

B. Tórax salientado: orgulho, superioridade.

C. Maxilar inferior salientado: desaprovação, por ser combinado com

D. músculo compressor do nariz contraído: desgosto (as capacidades gustativa e olfativa são fisiologicamente interligadas).

E. Orbicular contraído combinando com

F. frontral contraído para cima: censura

G. Tronco inclinado para trás: desaprovação.

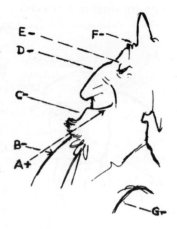

Resultado: 6 negativos X 1 positivo, neste sorriso-desprezo.

Puxa! Não encontramos uma única harmonia para a dominante sorriso-básico! Há um total geral de 12,5 sinais negativos discordando de apenas 2,5 sinais positivos do tema dominante "sorriso".

> A esta altura, seria muito útil ao leitor tornar a ler esta análise. Reconhecemos que é muita matemática em seguida; faça outra pausa, feche o livro e dê uma volta lá fora se não estiver chovendo. Mas, ao recomeçar a leitura, nosso pedido continua de pé.

E agora um sorriso *bom*! Repetimos abaixo o sorriso-maldade da página 49. Mas – vire esta página:

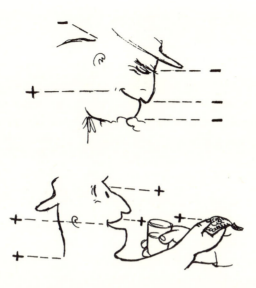

> Tomemos o mesmo rosto e o mesmo sorriso básico. Com a cabeça melhor posicionada, o olhar claro, os lábios abertos e a mão não mais no queixo e, sim, oferecendo uma boa gorjeta; e estamos com 5 positivos X 0 negativos!

Quer compreender isto ainda mais claramente? Então tome um pedaço de papel de seda, papel "vegetal" ou qualquer outro bem transparente. Com um lápis, decalque apenas a cabeça do desenho acima.

A seguir, volte para a página 51 e ponha seu desenho por cima do sorriso-maldade. Acerte a posição pelo nariz e canto da boca, e você notará melhor o que foi dito acima.

Aproveite para decalcar também o desenho do sorriso-maldade impresso na página 51, e use a mesma técnica de estudo comparativo por superposição, colocando este novo decalque sobre o desenho do sorriso bom, ao alto desta página.

Capítulo 5
HARMONIA E DESARMONIA

Onde entra um breve estudo para piano, a dois dedos só. – O leitor já percebeu a matemática da discordância do sorriso; a do piano é de oito versus nove! – O homem está psicofisiologicamente "afinado" para sentir isso na música; por que não na linguagem do corpo?

Até aqui nos valemos dos nossos olhos para examinar a matéria sob estudo. Usemos agora o ouvido em três simples experiências com um teclado sonoro.

Lá no fundo do nosso ouvido tem o caracol auditivo. Sua estrutura é tal qual a de um piano, mas incrivelmente miniaturizado e enrolado em espiral. Onde nosso piano ostenta umas vinte dúzias de cordas, nosso caracol tem cerca de 24.000. É tão menor que a tensão das cordas de um piano comum teria de ser afrouxada numa proporção de 1 para 100.000.000, se ousássemos produzir um caracol auditivo artificial para transplante cirúrgico em séculos futuros.

Suas cordas mais finas, para a percepção dos sons mais agudos, são mais curtas (coisa de um vigésimo de milímetro) do que as mais espessas, para os graves, que alcançam cerca de meio milímetro.

Assim as primeiras podem captar vibrações na frequência de 20.000 vezes por segundo; à medida que avançamos caracol adentro, encontramos cordas cada vez mais longas, até chegar às que estão afinadas para sons graves de 16 ciclos por segundo. Isto representa uma amplitude de umas 12 oitavas (um piano de concerto tem apenas de 7 a 7 e meia oitavas).

Hoje em dia já é menos usual ter piano em casa. Mas tem no clube, ou nas lojas musicais; e o leitor não precisa saber tocar piano para fazer as experiências que passamos a descrever:

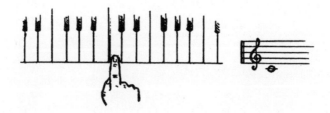

Primeiro, localize a tecla *dó*. É fácil de achar; bem no meio do teclado. É a tecla branca à esquerda de um grupo de duas pretas.

Toque-a.

Aquele som vibrará 261 vezes por segundo.

A seguir suba uma oitava (conte oito teclas brancas à direita, incluindo na contagem a que tocou). Eis o *dó* seguinte, mais agudo.

Toque-o.

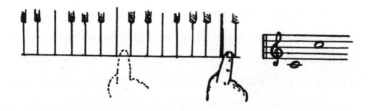

Vibrará 522 vezes por segundo.

Agora a primeira experiência:

Toque as duas teclas descritas, ao mesmo tempo!

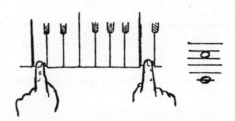

Você acaba de obter um acorde perfeito: um som muito puro e agradável. Mas repare no aspecto matemático: 522 é o *dobro exato de 261!*

Vamos à segunda experiência:

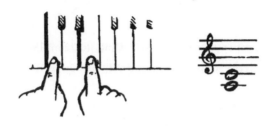

Toque, simultaneamente, o *dó* e o *mi* (o *mi* é a 3ª tecla à direita, contando o *dó* como primeira).

É outro acorde agradável!

Qual a proporção matemática? As vibrações agora são 261 e 328.88, ou seja, na proporção de 4 para 5!

(Para não nos afastar muito do nosso tema principal: o boneco representa o leitor depois da segunda experiência; acaba de descobrir que dá para pianista e o expressa pela linguagem da sua atitude corporal!)

E a terceira e última experiência?

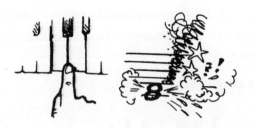

Toque, ao mesmo tempo, as duas teclas adjacentes *dó* e *ré* (basta um dedo só, bem no risco que divide uma da outra).

Não gostou? Pois é, juntou 261 com 292.98 ciclos por segundo; dois números na proporção de 8 para 9. Juntamos dois sons discordantes entre si.

Lá dentro do seu ouvido interno, grupos microscópicos de fibras de tecido conjuntivo vibraram em uníssono com as cordas do piano. A sensação foi transmitida pelos nervos para o cérebro e você tomou conhecimento de algo desagradável na experiência número 3, enquanto os sons ouvidos na experiência número 1 e na número 2 contaram com a aprovação consciente do seu *EU*. Você estava *de acordo* com os acordes!

Acabamos de demonstrar um fato: o ser humano está fisiologicamente "afinado" para distinguir entre harmonia e desarmonia.

A ciência registra, de fato, essa verdade psicofisiológica no campo da percepção humana. Se duas notas musicais vibram ao mesmo tempo sem que sua frequência corresponda a proporções matemáticas simples (como 1:2 ou 4:5), o Homem registra essa vibração como *discordante!*

Quanto às frequências que usamos em nossa experiência, cumpre registrar que estas não estão ainda universalmente padronizadas; assim o *dó* de Händel era de 504 cps, mas o Covent Garden Opera House, em 1876, chegou a adotar 540 – quase um semitom mais agudo; 522 cps está mais de acordo com a presente cultura ocidental.

Seja qual for a frequência dominante, costuma-se dividir uma oitava em doze semitons, que são divididos em proporção fixa entre si, por conveniência prática.

Teríamos uma proporção matemática muito mais pura, utilizando a chamada escala diatônica (1, 9/5, 5/4, 4/3, 3/2, 5/8, 15/8, 2), mas não se presta muito ao uso na prática, pois as notas emitidas seriam diferentes ao mudarmos de tônica (a nota aqui simbolizada pelo 1).

Daí, aproximação baseada num teclado real que usamos em nossas experiências 2 e 3; os valores 4 x 5,04 e 8 x 9,01 seriam mais corretos para os acordes citados, mas o nosso ouvido "perdoa" e aceita bem a diferença centesimal – talvez por avidez de harmonia num mundo dissonante!

Capítulo 6
COMPORTAMENTO INTERPESSOAL

Comportamento interpessoal: Já vamos aplicar numa reunião social aquelas continhas simples que fizemos no faroeste sorridente e no piano de cauda. – O leitor dá outro passo importante à frente; se braço, nariz ou mão é letra, o conjunto forma palavra!

COMPORTAMENTO INTERPESSOAL

As "letras" que formam as "palavras"

Apresentamos a você, leitor, as nossas desculpas, se lhe pareceu que saímos demais do assunto. Quem sabe quantas atitudes corporais você observou durante aquela pausa? Talvez algo assim?

E nós, em vez de elucidarmos suas observações, levamos você primeiro a uma cena de faroeste e, depois, a um piano!

Então está bem; vamos examinar sucintamente este desenho. Comecemos por estudar, individualmente, cada pessoa representada.

HARMONIA E DESARMONIA

Vamos, primeiro, definir isso?

Harmonia é disposição bem ordenada entre as partes de um todo; concórdia; concordância.

Desarmonia é má disposição das partes de um todo; discordância.

E agora, mãos à obra: vamos analisar cada pessoa como se fosse uma palavra e quiséssemos saber de que letras ela é composta.

a) *A mulher de pé, à esquerda.* Está "de pé atrás".

Nela, quase tudo harmoniza – concorda – com esta *atitude* (repare a palavra *atitude* que tanto tem significado físico como psicológico)!

O corpo inclinado para trás: *recuo, rejeição, afastamento!*

Um braço permanece cruzado diante do tórax; defende a região "leão" do sentimento do *EU: não aceitação no plano emotivo.*

O outro braço, de mão fechada, leva o cigarro o mais para trás possível; atitude de quem não quer ceder um objeto que ali segura, ou até mesmo arremessá-lo, enquanto recua, sobre um agressor: recuo sob protesto.

A cabeça em recuo, e de "nariz levantado", confirma, "em águia", a desaprovação no nível do pensamento consciente.

Contudo, mostra um sorriso ("seco"; apenas os músculos bem próximos da abertura oral entraram em jogo).

Conclusão óbvia: é um sorriso por educação; a linguagem básica, que é a do corpo, não harmoniza com que o sorriso tenta dizer.

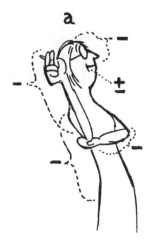

Se marcarmos "positivo" (+), ou melhor, "mais ou menos" (±) a mensagem "oficial" – transmitida voluntariamente, "de caso pensado" –, temos que marcar todo o resto em oposição, com sinal negativo (-).
Observe – todo o resto *harmoniza* entre si, porque é *tudo* negativo.

b) O *homem, de pé diante dela.* Gosta de si mesmo. Nele, sim, tudo diz: *autossatisfação, autoaprovação!*

> Posição de firmeza e início de avanço nas pernas: *confia em si próprio, "sabe onde pisa".*
> Tórax em evidência: *sente a sua própria* importância. Até os dedos das mãos apontam "o leão".
> Cabeça: atitude de quem "está por cima" (combinando com o tórax: *orgulho).*

Procure notar isto na ilustração, que está na página seguinte.

Este, sim, podemos rodear de símbolos "positivos" (+), ou seja, concordantes com a mensagem conscientemente expressa. Tudo, ali, afirma o *EU*.

c) *O homem* sentado. Está interessado na mulher. Sua atitude expressa ação, totalmente voltada para ela (Desenho na página 67).

> O tronco, avançado para a frente, diz: quero *avançar*. A cabeça, idem.
> Pernas cruzadas, *desembaraço*; um dos pés *avança* para ela.
> A mão direita *apoia-se* no símbolo de *desembaraço* citado; isto também acontece com o cotovelo esquerdo.
> A mão esquerda como que afasta o copo impacientemente da sua frente: está *interessado na oponente* e *não na bebida*!
> Simboliza também *esconder* o seu próprio rosto de terceiros – não quer que ninguém se meta na conversa!

Também, nesta figura, podemos assinalar pontos positivos – tudo concorda entre si, numa óbvia demonstração de sinceridade de propósito.

d) *A mulher sentada.* Está adorando a situação. Aceita a liderança do seu parceiro. Gosta do que está acontecendo (Desenho na página 68).

> O corpo inclinado para trás, mas não retesado como na mulher a) e sim "relax", descontraído, apoiado no espaldar da cadeira, diz: *aceitação, concordância.*
>
> As pernas, também cruzadas, espelham a posição das do seu parceiro, mas de forma mais branda (Apostamos que ela adotou essa posição logo em seguida à dele!). Aceitação, concordância.
>
> Mostra as palmas das mãos para cima: Aceitação, concordância. Segundo Dr. A.E. Scheflen, um dos cientistas que estuda essa matéria: "Sempre que uma mulher mostra a palma da mão, está cortejando você – quer ela o saiba ou não".
>
> Isto, em sentido lato; procura – ou concorda com – um encontro, um parceiro, mesmo que a intenção seja apenas o prazer de uma comunicação verbal agradável.
>
> A cabeça – ora, o leitor já tem prática bastante para reconhecer que concorda também.

Tudo positivo também
aqui – nada destoa da
intenção clara da mensagem:
aceitação, concordância.

CUIDADO, LEITOR!

Positivo – é bom lembrar – aqui não quer dizer "certo", nem negativo "errado"! Não há julgamento ético nisto! Lembre-se que marcamos *positivo*, de saída, o *sinal óbvio, formal* (poderia ser a palavra "sim", pronunciada em voz alta), e *negativo* tudo que for *contrário* (o corpo dizendo não). Ou, alguém dizendo "não" em voz alta, isto seria o positivo, e o corpo, dizendo "sim", seria negativo *(negando* o que está sendo dito em voz alta).

Tudo entendido? Então vamos adiante:

Capítulo 7
ORIGENS ANTIGAS DOS GESTOS DE HOJE

Quando em grupo, nossa linguagem corporal anseia por afirmar o nosso eu. – Vamos juntar "palavras" – e a percepção delas será aprendizagem, ou melhor, reaprendizagem? – O valor filogenético dos gestos antigos; ou a prova de como nosso vovô pré-histórico escapou de levar uma pedrada da eleita do seu coração por não esperar pela invenção da palavra falada.

O QUE HÁ DE COMUM ENTRE AS PESSOAS?

Examinamos quatro indivíduos. Podemos afirmar que todos têm em comum precisamente isto: cada qual zela pela sua individualidade, pela personalidade que lhe é própria.

E demonstra sua ânsia de preservá-la!

Nem precisamos analisar longamente componentes de expressão facial (de propósito, aquela abundância de óculos e cabelos). A linguagem do corpo foi coerente, foi harmônica como desejo de cada *EU* individual numa dada situação, tanto no nível consciente como nos outros componentes da "esfinge" (À única exceção aparente – o sorriso em a) – retornaremos mais adiante).

Cada um preservou o seu *EU*, na atitude mental *(e corporal)* desejada, conscientemente ou não!

Isto, num sentido muito real, é a própria sobrevivência do *EU* de cada um de nós, ao longo do eixo-tempo da nossa existência.

Mas os indivíduos estudados não estavam isolados em quatro proverbiais ilhas desertas!

Formaram pares, estavam *em grupo.*

Ora, quem está num grupo sempre influencia o comportamento deste e, por sua vez, também é por ele influenciado. É o que estudaremos a seguir porque analisar uma pessoa de cada vez e nada mais é como verificar as letras de uma só palavra. Falta ver a *frase* em que a palavra está!

VAMOS JUNTAR "PALAVRAS"

Há uma interação constante quando formamos grupos humanos. Voltemos ao nosso exemplo:

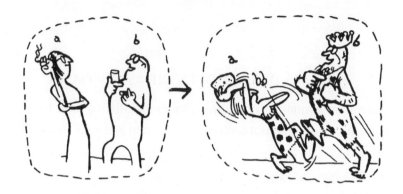

À esquerda o grupo a) – b), tal como o vimos. À direita, nós dissolvemos o verniz da civilização do casal. Então a linguagem do corpo se tornou acentuada, passou do *gesto à ação*. O comportamento interpessoal é inequívoco; é a agressão e defesa, visíveis nos *mesmos gestos*, porém dinâmicos, desinibidos.

O grupo a) – b) é negativo (-), é discordante. Esses dois estão em <u>DESACORDO!</u>

Na escala de valores da vida, a autopreservação ocupa o primeiro lugar – é sobrevivência antes do prazer. Queremos segurança para termos a tranquila paz, precisamos de paz para manter o amor, e vice-versa; quando inseguros, ficamos ansiosos.

Em *todo* comportamento interpessoal encontramos atitudes físicas e mentais cuja finalidade é evitar a *ansiedade* de um "*Não!*" ao nosso *EU*, ou de obter a *segurança* de um "*Sim!*" concordando com o que somos. Existimos, afirmando nossa identidade, nossa existência – e vivemos a vigiá-la inconscientemente (ou, mesmo, conscientemente) ansiosos, quando em grupo.

Assim, o homem b) anseia por impor o seu *EU*. Nem precisamos saber qual foi a conversa. Decerto é um desses sujeitos maçantes que só fala dele próprio, sem querer saber se o parceiro está interessado no assunto. Faz um papel de líder ditatorial e a mulher a) resiste, a olhos vistos, a essa negação da *sua* própria importância!

No nível consciente, transmite um sorriso educado, pois, *também neste nível*, anseia por afirmar-se (Pessoa educada, de classe, sabe fingir aprovação diante dos convivas).

Vejamos, agora, o grupo c) – d); vamos igualmente retirar--lhe o verniz inibitório. Mudemos toda intenção – já subentendida na muda linguagem daqueles corpos – em ação desinibida:

Será preciso gastar *palavras* para concluir que o grupo c) – d) é positivo (+), é harmônico? Não se percebe logo que estão *DE ACORDO?*

PERCEPÇÃO DO TODO X PARTES

E o piano?

(leitor em atitude de cética e impaciente expectativa: queixo apoiado na mão, observando-nos com a cabeça lateralmente des-

viada, sobrancelhas – mas não pálpebras – bem levantadas, dedos dos pés "martelando na mesma tecla"...).

Bem, não nos iríamos dar o trabalho de arrastar um piano de concerto para dentro destas páginas, se fosse somente para introduzir a noção de harmonia. Quisemos, entre muitos exemplos possíveis, citar um bem claro. Mas o tema agora é sua *percepção!*

Exemplo de *emissão* de mensagens (sonoras) simultâneas (acordes) e que estejam mutuamente em conflito (discordância sonora):

Isto seria o "Quê".

A parte importante é agora, o "Como":

É a *recepção* da mensagem como um todo mais a *percepção* da *dissonância* ou *harmonia* das suas partes por um *dispositivo psicofisiológico!*

Exemplo da *recepção*, sob o aspecto *fisiológico:* um ossinho chamado estribo; é um sólido transmitindo a um líquido (linfa) do caracol auditivo as vibrações de uma mistura de gases (ar).

Exemplo da *percepção*, sob o aspecto do *EU o* maestro, regendo a emissão conjunta de sons de oitenta instrumentos sinfônicos e, simultaneamente, percebendo a diferença de meio tom entre dois violinos.

Os dispositivos são muitos

Ora, tais dispositivos de percepção abundam em nós desde o registro de ondas luminosas, vindas até de distâncias de anos-luz, até a percepção de contato cutâneo, mudanças na velocidade com que nos deslocamos, odores, correnteza de ar...

Não resistimos a mais um exemplo: temos cerca de 1.500 "corpos lamelares" no peritônio, nas paredes das grandes artérias, nos revestimentos de músculos e principalmente na parte profunda da pele. Cada uma é um pacotinho de lâminas conjuntivas, tendo ao centro um nervo. Deslocando-se o tecido, a linfa que se acha entre as lâminas tem a sua pressão modificada, o que é transmitido ao nervo. Assim a "águia" em nós *sabe* quando algo nos desloca a pele, e também o "boi" toma providências administrativas dentro de nós, de cuja natureza nem sequer nos damos conta!

Que dizer, então, do nosso cérebro – especialmente dos milhões de informações da nossa memória –, não constitui ele o máximo entre os aparelhos biológicos de percepção e consequente reação em vários níveis?

Percepções antigas e recentes

Há um número imenso de ações – reações programadas no nosso sistema nervoso – que é, ele próprio, nosso sistema de percepção. Muitas percepções são inconscientes, anteriores até à própria espécie, como, por exemplo, os que governam os nossos movimentos intestinais.

Outros são tão recentes como a sensibilização do leitor às posturas dos corpos dos seus amigos, durante um coquetel, e que ainda estão na fase da aprendizagem.

Ou será *reaprendizagem?*

A FALA DOS GESTOS ANTIGOS

A mulher a) do nosso estudo anterior usou o mesmo gesto ansioso deste nosso antepassado a), num capinzal situado a milhões de anos antes da Torre de Babel

das línguas faladas. E, certamente, nosso antepassado b) percebeu muito bem o que a) queria transmitir!

Mesmo porque, se assim não fosse, pelo menos um dos dois teria deixado de ser nosso antepassado naquela mesma hora e, talvez, não estivéssemos aqui para contar a história!

E, sem a pedra na mão? Olhe a ansiedade de b), mostrando as mãos sem armas, para conseguir sobreviver às relações interpessoais a) – b)!

Será preciso dizer que, diante de um projétil engatilhado em nossa direção, o símbolo pacífico de submissão é até hoje emitido e *percebido* da mesma forma?

VIVER É PERCEBER

Sob que forma percebemos nossa própria existência, o nosso *EU*? Não é, porventura, como uma imensa soma de conhecimentos, isto é, de informações? De percepções? E o *sobreviver*? Não é o reagir em *harmonia* com o que for necessário para isso?

É o caso daquele nosso homem primitivo, lembrando-se de experiências pessoais anteriores sob o título "vermelho": foge do incêndio do capinzal que reconhece *não combinar* com o seu bem-estar físico. Mas avança rumo à maçã, porque sabe que estará *de acordo* com as exigências do seu paladar. Fogo + pele = *discórdia*. Maçã + boca = *concordância, harmonia*.

Essencial à própria filogenia, não nos faltam exemplos de capacidade de discernimento até nas manifestações mais primitivas da vida. Todos sabem que, pondo-se um feijão para germinar numa caixinha na qual fizemos um orifício lateral, a plantinha se estenderá *sempre* na direção daquela fresta de luz.

Treinando um verme de espécie planária a reagir cada vez que se acender certa luz, pode-se cortá-lo ao meio – as duas metades farão brotar, respectivamente, nova cauda e nova cabeça, e os *dois* vermes, guardando aquela informação, continuarão reagindo conforme aquele hábito anteriormente adquirido.

Talvez "Vida" e "Não Vida" nem sejam definições absolutas; um vírus é "vivo" no sentido de sua capacidade de multiplicar-se e reproduzir a sua própria espécie e nada mais – o primeiro passo do estado inanimado ao animado. É partícula incrivelmente pequena de matéria (por exemplo: o vírus da febre aftosa tem apenas 0.000.000.8cm de diâmetro; numa única célula de um centésimo de milímetro de diâmetro caberiam mais de 50 milhões de vírus de poliomielite).

Contudo, até o vírus sabe "distinguir" (mensagem química que seja, o que é antes classificação do que uma explicação) entre o ambiente favorável ou desfavorável à sua ação reprodutora.

Reage, inconscientemente que seja, à informação inconscientemente recebida. Mas a *discerniu*, de alguma forma!

Em resumo – tudo o que vive possui a característica de discernimento e isto é essencial à sua própria existência.

Ora, o homem é um ser altamente perceptivo e, certamente, percebe os seus semelhantes. Como não haveria de perceber-lhes a diferença entre

a atitude favorável, neutra ou

francamente desfavorável ao seu *EU*? E de que maneira, senão pela percepção da linguagem do corpo – antes que inventassem as gramáticas e os dicionários?

Capítulo 8
INTERMEZZO 1

O homem é programado para discernir, mas o hábito de atentar para as ferramentas-símbolos, chamadas palavras, afastou-o da percepção consciente total imediata do "aqui e agora". – Simpatia e antipatia, uma possível capacidade residual deste tipo de percepção.

Aviso ao leitor: Este capítulo é curtinho para levá-lo em boa velocidade ao capítulo seguinte!

O HOMEM É PROGRAMADO PARA DISCERNIR

Não será lícito supor que um fenômeno constante tão antigo como a própria vida tenha, tal qual o caracol auditivo ou os circuitos de memória do cérebro, também a sua programação psicofísica? Em outras palavras, que o hábito de sobreviver tenha condicionado os reflexos que lhe são pertinentes?

E que não mais usamos conscientemente esta nossa faculdade,

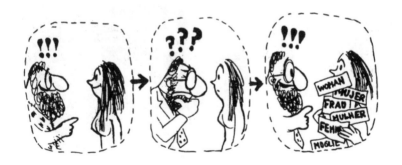

simplesmente por termos adquirido o *hábito* do *símbolo-palavra* em vez da percepção direta?

O silvícola sobrevive na mata porque cheira de longe onde encontrará o riacho para beber. Nós precisamos de um mapa, de bússola, guia, seta indicadora, para não morrermos de sede na mesma floresta!

SIMPATIA E ANTIPATIA

Não estará aí a explicação de parte das causas de simpatia e antipatia que sentimos diante de novas relações humanas? Quando a linguagem do corpo de alguém nos transmite conflito com os nossos interesses, quem sabe o percebamos em nível inconsciente de forma negativa (-)? Isto, apesar das palavras com que nos procura agradar, ou o seu sorriso (+)? Sentimos a desarmonia (+ -)? Lembremo-nos do sorriso daquela gente ruim, da cena de faroeste que não nos agradou de saída!

Lembremo-nos que instintivamente desaprovamos gente que sempre desvia seu olhar do nosso, durante um diálogo, ou que, de mão inerte, não responde ao nosso aperto de mãos com igual aperto!

<u>**PRONTO PARA UMA CONCLUSÃO FINAL?**</u>

Obrigado, leitor, que nos acompanhou até aqui, carregando piano, gente rejeitando bolo, gente da idade da pedra, bichos e bandidos – agora está na hora de apanharmos o prêmio dos nossos esforços!

82

Agora, juntos, podemos sucumbir à tentação de arriscarmos *esboçar uma teoria de Percepção Humana!*

E isto com pleno conhecimento de causa! Ei-la, resumida em apenas

4

princípios básicos:

Capítulo 9
QUATRO PRINCÍPIOS BÁSICOS

*Os quatro princípios que permitirão ao leitor um entendimento mais completo da linguagem do corpo humano. – Mais uma pausa para aprender como funcionam na prática.
– Um primeiro exemplo de dois canais de transmissão simultânea de quatro mensagens. – Outro exemplo, já com oito canais.
– Outro aviso ao leitor: O pior já passou; depois das primeiras páginas deste capítulo tudo vai ficando cada vez mais simples – aliás, o leitor notará pessoalmente que perceber a linguagem do corpo é bem mais fácil do que escrever sobre ela!*

PRINCÍPIOS DA TEORIA DE INFORMAÇÃO E PERCEPÇÃO CINÉSICA DE P. WEIL E R. TOMPAKOW

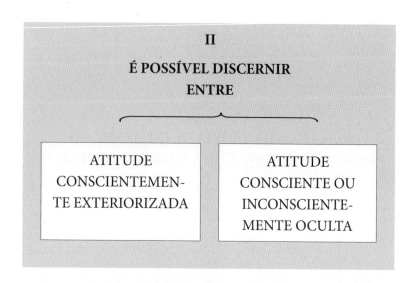
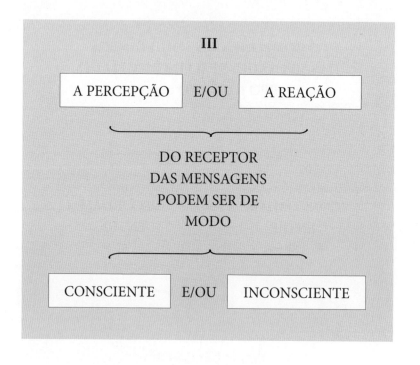

IV
NA PERCEPÇÃO CONSCIENTE DE MENSAGENS CORRETAMENTE AVALIADAS

O ACORDO DOS COMPONENTES:	O DESACORDO DOS COMPONENTES:
CONFIRMA A VERDADE DA INTENÇÃO CONVENCIONAL-MENTE EXTERIORIZADA	REVELA OPOSIÇÃO REPRIMIDA À INTENÇÃO CONVENCIONAL-MENTE EXTERIORIZADA

Que tal você reler os quatro princípios

Afinal, isso é feito álgebra. Muito certo, mas muito condensado e, portanto, indigesto.

E que tal mais uma pausa, dedicada a um breve exercício prático com um amigo? Veja como esses Princípios ficam logo claros:

OLHE COMO É BASICAMENTE SIMPLES:

Você, o leitor, é a figura a).

A seta horizontal entre seu rosto e o rosto do seu amigo b) é a comunicação consciente entre ambos:

1. *COMUNICAÇÃO DE* a), *EMITIDA CONSCIEN-TEMENTE, ALCANÇA* b): Você acaba de contar a ele o que você está estudando no nosso livro.

2. *COMUNICAÇÃO DE* b), *EMITIDA CONSCIENTE-MENTE, ALCANÇA* a): Ele respondeu que isso deve ser formidável e também emitiu conscientemente um sorriso (+) que você também percebeu.

3. *MAIS UMA COMUNICAÇÃO CONSCIENTE DE* a) *AL-CANÇA* b): É o seu olhar, que por um instante se fixa na posição dos braços de b) (seta inclinada).

4. *AGORA, UMA COMUNICAÇÃO INCONSCIENTE PAR-TE DE* b) *E ALCANÇA* a): A mensagem da resistência à sua

comunicação (-) é emitida pelos braços cruzados de b) e percebida por a). No caso de a) ser mesmo você, é claro que a *percepção* é consciente, embora a emissão não o seja, pois você já está sensibilizado à linguagem do corpo, enquanto seu amigo nem percebe que ele está emitindo positivo (+) com as palavras e o sorriso, mas negativo (-) com os braços (e a posição de recuo do tórax – do "leão" – sentimento – expressando dúvida).

Na realidade – lembre-se – um ser humano isolado não pode, obviamente, mostrar suas relações humanas completas.

E mais de um já é grupo; então há interação.

O diagrama acima já é mais real; a seta horizontal de cima mostra o nível coconsciente que já estudamos, mas tem o coinconsciente (como quando o líder muda a posição dos braços e o liderado o imita sem sentir) e mais as influências consciente-inconsciente, quer mútuas (setas inclinadas), quer individuais (setas verticais; conforme Anne A. Schutzenberger).

Outra coisa: Não existe um só nível inconsciente e, sim, *vários*, como todo psicólogo e psiquiatra sabem. Mas a gente faz uma força louca para manter um livro simples e prático. Então não vamos querer exibir cultura inutilmente.

O que interessa é sermos práticos. Fazer com que as pessoas se *entendam* melhor, com mais clareza e sucesso. O mundo tem sede disso. Não vamos resolver a situação do mundo, mas podemos trazer o nosso modesto copo de água; não estamos absolutamente subestimando o leitor, mas não queremos que se engasgue!

Capítulo 10
A ENERGIA NO CORPO HUMANO

A vida é um fluxo constante de energia e a linguagem do corpo é a linguagem da vida; logo temos que conhecer a energia em nós. – Por isso vamos botar uma serpente numa FLECHA. – O consumo de energia de cada "animal" nosso. – Onde está o painel de controle da esfinge?

A ENERGIA EM NÓS

Se olharmos atentamente as inúmeras esfinges antigas, percebemos em muitas a representação de um animal a mais. É a SERPENTE!

Aparentemente insignificante, mais parece um ornamento usado na testa, ou no máximo um pequeno distintivo, como no boné de um policial fardado dos nossos dias. Assim, não desperta maior atenção ao leigo cuja percepção é mais facilmente centrada nos elementos mais óbvios da esfinge. Isto pode, aliás, ter sido intencional por parte dos antigos sacerdotes, por não quererem atrair a atenção – talvez desrespeitosa – dos fiéis para a SERPENTE URAEUS, que representaria a maior força do universo: a ENERGIA!

Notou, na figura acima, a cobrinha na testa da cabeça humana? A serpente é bem visível neste exemplo. Trata-se de uma esfinge hitita – um povo da Ásia Menor, desaparecido há milênios.

É provável que o leitor estranhe o desenho. Estamos, afinal, acostumados à padronização em nossa cultura de produção em massa. No mundo inteiro, as características de nossas lâminas de barbear, de nossas chapinhas de refrigerante ou das roscas de nossas lâmpadas elétricas são de uma tranquila e confortadora igualdade banal. E até mesmo aquela amável esfinge de cartunista à qual o leitor já se habituou nestas páginas também é uma espécie de padronização nossa – embora baseada em sérias médias estatísticas dos elementos identificados pela arqueologia.

Mas os antigos não usavam linhas de montagem e os componentes das esfinges egípcias, assírias, persas, hititas, fenícias, gregas etc., variavam muito. Assim, o leitor já percebeu que o escultor hitita do nosso exemplo pouca ou nenhuma importância deu ao boi, mas caprichou tanto no leão que lhe concedeu até uma cabeça particular! Vejam só que importância do "EU" na linguagem daquele corpo simbólico!

Esta variação de número e de destaque de elementos – possivelmente relacionada com o que Piaget chamaria de "Centrações de percepção" diferentes – pode também ter relação com fases evolutivas de conceitos cosmológicos e psicossomáticos através dos tempos e dos contextos culturais vigentes.

Mesmo assim, no modelo mais antigo conhecido – o egípcio – já a serpente está presente e frequentemente reaparece em grande número de exemplares posteriores.

Como a serpente, a energia assume todas as formas possíveis. Comparável àquele animal que se "transforma" ou "renova", ao mudar a pele (a sua forma externa), também a energia se transforma: qualquer gesto do corpo vivo, desde o levantar de um peso até o mero ato de raciocinar, gasta energia; o estudo bioquímico do metabolismo mede-lhe a intensidade e o ritmo. Força, por definição, é energia aplicada! E, como a ondulação da serpente, também a energia pode ser representada como uma pulsação, um ritmo ou vibração constante. Pois tanto faz considerarmos nosso coração (100.000 batidas por dia), os raios gama (10^{20} a 2×10^{18} vibrações por segundo), os ciclos das estações do ano ou da corrente elétrica da bateria do nosso carro – tudo pode ser representado em gráficos que têm, como característica básica, uma linha ondulatória:

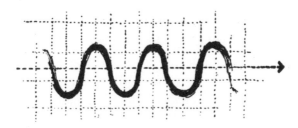

Mas, embora a serpente se desloque ondulando, sua direção e caminho percorridos podem ser indicados por uma seta convencional (Ocorrem-nos, logo, os exemplos do eletroencefalograma e do "eixo do X" cartesiano).

Temos, então, na união desses dois elementos, um símbolo a mais que criamos para melhor estudar a linguagem do corpo. Vamos usá-la doravante – especialmente na segunda parte deste livro. Sem ele, o capítulo 15 (sobre o amor e similares) teria sido impossível.

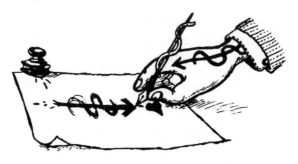

COMO FUNCIONA?

Tal como a eletricidade da bateria do seu carro, a energia do seu corpo é armazenada sob forma química.

Suas chaves da ignição estão ao alcance da mão – perdão, da pata do boi e do leão e da garra da águia.

Uma grande parte da sua energia em potencial está guardada como reserva na gordura, presente nos músculos e sob forma de glicogênio para uso dos mesmos no fígado.

Além deste, outras glândulas endócrinas (gônadas, suprarrenais, pâncreas, tireoide e pituitária) são verdadeiros armazéns de energia para fins específicos. A glândula-mestra é a pituitária; em ligação direta com o hipotálamo, por sua vez ligado ao córtex, ativa as demais glândulas citadas por meio dos seus chamados hormônios trópicos.

A PARTE DO BOI

O boi é um grande consumidor de corrente, desde o trabalho constante dos músculos, que não estão sujeitos à vontade consciente, até as demais operações puramente instintivas: respiração, digestão e distribuição dos próprios produtos energéticos da mesma, funcionamento do sistema reprodutor da espécie desde a cópula até a amamentação (período em que, na fêmea, trabalha um só boi para manter duas esfinges). E assim por diante.

A PARTE DO LEÃO

Esse cilindro de ar comprimido dá para quanto tempo de mergulho? É a pergunta que sempre fazem quando a gente, nos fins de semana, dá uma de herói submarino. E a gente nunca pode dar uma resposta exata!

Quem não está acostumado ao mergulho livre em pleno oceano fica com medo mesmo, por mais que minta a si próprio ou aos ingênuos habitantes de terra firme a quem, depois, impinge as suas histórias de pescador. Tenso, nervoso, desperdiçando energia, respirando mais depressa, gasta o ar todo em muito menos tempo do que o tranquilo mergulhador veterano.

Assim, a emoção pode consumir uma "parte de leão" mesmo, contagiando boi e águia com sua preocupação.

É o que notamos na linguagem do corpo, quando a energia começa a fluir com intensidade. Há desde a respiração e o pulso mais acelerados até as mudanças na voz, no olhar, no tônus muscular e na direção tomada pelas partes do corpo. Observemos sobretudo as extremidades dos membros que passam a expressar nitidamente o tipo de ação imediato desejado pelo leão.

A PARTE DA ÁGUIA

Não é muito grande; é o membro mais moço da família e os outros bichos não costumam deixar sobrar muita energia para a águia obter informações verdadeiras e completas a respeito do seu mundo.

É muito comum, por exemplo, o leão tirar do seu arquivo a imagem de, digamos, a águia materna, com seus ensinamentos do tempo da infância: "Menino, não faça isto ou aquilo que mamãe bate em você!" E, pronto, temos a águia lá em cima, perturbada pelo inconsciente, talvez aprovando que o homem fume um cigarro atrás do outro, num desafio totalmente inconsciente à querida falecida. E o boi que se arrume com a poluição pela nicotina!

Esta divisão da energia provavelmente explica por que, nos mais diversos cultos, o jejum e a abstenção sexual são levados em tão alta conta. Desliguem-se as chaves de ignição do boi e do leão e a mente pode receber mais energia. Não apaga você as luzes do carro para que, naquela madrugada escura e fria, a bateria tenha energia bastante para o motor pegar logo?

O CONTROLE DA ENERGIA

Mas, e na esfinge humana? Onde estão as chaves de controle do fluxo energético cujos efeitos percebemos na linguagem do corpo?

Estamos na fronteira do conhecimento atual, em área das mais recentes pesquisas.

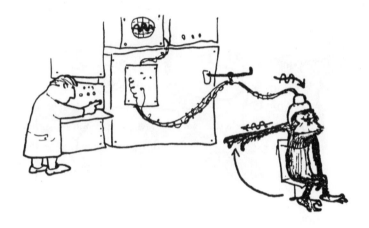

Se você estiver na Califórnia, talvez o Dr. Lawrence Pinneo, do Stanford Research Institute, permita que você aperte um botão no painel de um computador, já programado para emitir um determinado fluxo de energia sob a forma de impulsos elétricos. Estes alcançam minúsculas eletrossondas, por sua vez enfiadas no cérebro do macaco "Bruno" que tem o braço direito normalmente imóvel, aleijado.

Mas basta apertar o botão; naquele ponto do cérebro do macaco a ordem é recebida, "entendida" (descodificada) e passada adiante, pelos nervos do braço.

E a linguagem do corpo torna a adquirir vida; o braço se levanta! Este é um dos mais de duzentos pontos de controle já experimentalmente verificados por pesquisadores como Pinneo, Delgado, Brinley, Heath, Hess e outros, controlando emoções e movimentos tanto em animais como em seres humanos. Em tempo: o cérebro não sente dor; a fina sonda metálica é, em si, imperceptível e já se começa a substituir os cabos por uma pequena antena costurada sob o couro cabeludo, recebendo o sinal emitido pelo computador por meio de ondas curtas.

Solução para casos patológicos, ensino programado ou *1984*, de Orwell? Uma só cibernética sob duas formas externas – o computador, irmão mais moço do homem?

Vejamos. Nosso desenho mostra três pontos onde, por meio de sondas elétricas, pesquisadores mexeram com o Boi e o Leão:

PONTO DE CONTATO DA SONDA	EMOÇÃO "LIGADA E DESLIGADA"	COMPONENTE DA "ESFINGE"
1. (Hipotálamo)	Fome	Boi
2. (Tálamo)	Medo	Leão
3. (Septo)	Desejo sexual	Boi

Bastou ligar ou desligar o fluxo de energia para que o corpo do paciente respondesse imediatamente, manifestando ou eliminando a atitude psicofisiológica correspondente.

Além disso, parece haver duas "chaves gerais" nessa área que o pesquisador suíço Hess chama de sistema *ergotrópico* (incitando à atividade) e *trofotrópico* (incitando à passividade).

Mas chega de neurofisiologia! Vamos passar ao capítulo seguinte que prometemos simples. Não contém hititas, macacos teleguiados ou pruridos filosóficos.

Terá apenas as instruções de uso do "vocabulário", no qual você encontrará uma série de atitudes corporais e o seu significado.

Capítulo 11
INTERMEZZO 2

Vamos aplicar em cheio o que já aprendemos. – Regras para uso do vocabulário a seguir e porque nós, com a mais séria das intenções, fizemos as caricaturas que você terá que analisar nele.

VAMOS APLICAR O QUE APRENDEMOS?

Você encontrará, nas páginas seguintes, uma porção de exemplos de atitudes corporais, acompanhados dos seus significados.

Parece um dicionário ou, antes, um desses pequenos vocabulários básicos para turistas, com as expressões mais usadas numa língua que lhe é pouco familiar. Mas, será mesmo? Que regras teremos que seguir para usá-lo corretamente?

Lembre-se sempre que

- sua simples presença, como observador, já modificará a linguagem do observado;
- na situação real um leão urra, sacode a juba, é amarelo, tem cheiro de leão. No papel impresso você já viu que não tem nada disso. Caberá a você, leitor, traduzir a lição simplificada em plenitude da vida;
- toda a situação deve ser vista *no seu contexto*. Por despir-se em público, você pode ser ou condenado, ou elogiado (se o fez para, atirando-se de um cais, salvar alguém de afogamento)!

Isso tudo vamos explicar logo a seguir, antes de você começar a usar o vocabulário, pois do contrário a sua eficiência diminuirá na prática.

Outras noções surgirão, tais como a percepção consciente

- da direção e intensidade do fluxo da energia, e da tensão causada pelos seus bloqueios;
- do número de pontos de contato energético internos e externos (sete pontos, no máximo, para um copo de cerveja e trinta para o mais sublime amor!);
- das distâncias, no espaço, entre as pessoas, ligadas à noção de território;
- da necessidade de levar em conta o fator cultural das atitudes observadas. Cumprimentos amistosos em público têm que ser aprendidos, enquanto que baixar a cabeça entre os ombros antes de atacar furiosamente é mais antigo que a invenção da palavra falada – já os bois pré-históricos entendiam isso. Daí a atitude corporal daqueles cumprimentos, em Tóquio, não ter a menor semelhança com as do Rio de Janeiro, embora ambos tenham valor de sobrevivência, pois preservam o *EU* na sociedade.

Tais noções, amigo leitor, surgirão e serão tratadas na SEGUNDA PARTE, capítulos 14 e 15, depois do vocabulário. Por enquanto, o que citamos já será suficiente para seu rápido progresso.

ANTES, PORÉM, ESTE AVISO

CUIDADO! CARICATURAS!

A reprodução pictórica convencional (fotos, desenhos "acadêmicos") é como o sol:

Torna *TUDO* claro. Então a gente *vê* tudo. *Vê* demais. Mas todos nós *percebemos* muito menos do que *vemos*; a mensagem fica diluída. É o caso deste desenho (decalcado de um flagrante fotográfico):

Tem mensagens visuais demais, competindo entre si, a clamar pela nossa atenção.

Vemos tudo, mas só registramos conscientemente o que nos interessa: o amável leitor "*enxerga*" pelo menos esse parágrafo inteiro de uma só vez. Então, por que será que seus olhos acompanham, aos saltos que seja, linha por linha deste texto? Precisamente por isso: está interessado na sequência de nossas ideias, uma após outra, palavra por palavra, ou pelo menos assim esperamos!

Já, se não se interessar mais pela leitura, digamos, nesse instante (atenção Sr. nosso editor, não leia isso!), então *Não PERCEBERÁ* o sentido do parágrafo seguinte, *embora já o tenha "visto"* antes, ao " ver" a página inteira, depois de virar a folha anterior. E fechará o livro!

Assim, o leitor apreciador de anatomia feminina a observará melhor do que o estampado das roupas (mas que serão olhadas com atenção por um leitor que as costure) e nenhum dos dois olhará com tanto interesse os canudos de refresco como um leitor fabricante dos mesmos.

Já a caricatura é como uma lente:

pode focalizar a luz num só ponto de cada vez ganhando em *intensidade* o que perde em extensão.

Vamos mostrar a mesma cena anterior, mas em caricatura:

Ficaram só as mensagens claras do corpo: a pessoa da direita fazendo bagunça e a outra dizendo com o rosto: "Gostei!", mas com o tronco inclinado e a mão afastando o seu copo de refresco: "Não compartilho desse abuso; sou uma pessoa educada que quer estar longe dessa violação das boas maneiras à mesa!" Procure, no desenho da página 109, estas mensagens! Estão lá, "escondidas" pelas outras.

Por isso, o vocabulário é em caricaturas.

Você compreenderá melhor e mais depressa o que está sendo transmitido.

E se treinará *a focalizar o essencial* nas atitudes corporais ao seu redor, na vida real!

Você vai ficar surpreso com a rapidez com que sua "percepção cinésica" vai crescer!

TRÊS REGRAS
PARA USO DO VOCABULÁRIO

Temos três fatores a levar em conta:

1. Nossa própria presença

Repare no desenho: o "turista" invadiu o "território" alheio. Emitiu, ele próprio, a mensagem: "sou um intruso, um *voyeur* grosseiro!" Um grupo de duas pessoas mais um observador é um grupo de três pessoas com todas as modificações de comportamento interpessoal daí resultantes.

2. Não podemos reduzir gente viva a estruturas mortas sem perder algo de essencial, que é a própria vida!

Namorado contemplando durante um minuto a foto da sua eleita; retrato que considera "igualzinho a ela"... Acontece que o olho humano pisca normalmente 10 vezes por minuto. O do retrato, evidentemente, nem uma só vez; não tem vida.

Ora, nossos desenhos e fotos nem piscam, não é? São registros simplificados; retratos verdadeiros sim, mas é preciso descontar essa diferença ao comparar o "retrato da namorada" com a própria!

O desenho esta *parado*, a pessoa *mexe*!

Seu movimento é rápido ou lento, hesitante ou dominante? Por que fez aquele gesto? Está alegre ou triste? Isto nos leva diretamente ao item mais importante que é o

3. Contexto da situação a descodificar

Vamos explicar isso com uma história em quatro quadrinhos:

Eis alguém (A) cruzando defensivamente os braços. Por quê? O seu oponente (B) está querendo convencê-lo de uma novidade qualquer; você *sabe* disso porque você próprio é a figura da esquerda do desenho (ou, pelo menos, está presente à conversa). E você, pelas respostas verbais dele, pela expressão do rosto e inclinação para trás do corpo, *sabe* que ele *não está de acordo* com o que está sendo dito.

Eis que ele já concorda parcialmente; não está mais tenso.

E os braços cruzados? Não são defesa do EU? Não são "do contra"?

Sim, mas agora é defesa necessária para o isolamento deliberativo. Para a liberdade de decidir. É o júri que se retira, após ouvir os fatos, e tranca a porta para deliberar em particular.

Tem hora que a esfinge de todos nós precisa ter vida privada, precisa de um biombo, para que a águia, leão e boi entrem em conferência particular. Como meditar em paz se o oponente continua a nos bombardear com argumentos? A águia educada e ávida de novas informações pode sorrir, mas o sincero leão, guardião das informações antigas, não baixa a defesa!

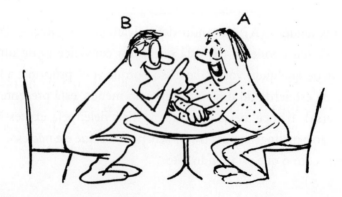

Agora, nosso oponente já está praticamente convencido. Falta-lhe, somente, a experiência pessoal da novidade, por isso o leão ainda cruza os braços, mas sem tensão; as mãos frouxas, dedos esticados e entreabertos, em repouso.

Reparem o espaço ocupado. Entrou, submisso, no "território" do líder, avançando no espaço da mesa rumo ao outro! Está ficando "do nosso lado"!

Alguns dias depois: "A" ficou decididamente do *lado* de "B" (Então procura também *sentar ao lado* do seu líder). Claro que nesse intervalo descruzou os braços.

Eis os dois, *unidos*; "B" agora vai tentar convencer "C".

E "A" *está outra vez de braços cruzados!*

Mas agora (pela sua posição, quer no espaço, quer na inclinação do tronco em direção ao líder do grupo) os seus *novos sentimentos* estão sendo defendidos! (Não vai ser difícil; reparem os pés de "A" e "C" numa concordância coinconsciente.)

Cremos que com esse exemplo tornamos claro que não basta dizer:

1. BRAÇOS CRUZADOS = LEÃO DIZ "NÃO".

2. O CORPO SÓ FALA A VERDADE.

3. LOGO A VERDADE É "NÃO"!

Isto estaria errado. Seria igualar a fotografia (que nem pisca) com a pessoa viva que, sistema aberto que é, "recebe contínuas informações do meio exterior e de dentro de si mesmo, compara-as, delibera e reage".

A cada instante que passa somos alguém já um pouco diferente...

Consideremos sempre o contexto da situação.

Não basta o "que", há de se ver o "como", o "quando", o "onde", o "porquê"...

Segunda Parte

APLICAÇÕES PRÁTICAS

Capítulo 12
VOCABULÁRIO PRÁTICO

Agora lhe damos a oportunidade de afinar ainda mais a sua percepção. – Poderá saber também de que maneira o corpo expressa algumas das principais emoções humanas. – Ou, ao contrário, o que significa, em separado, grande número de: "energemas" componentes dos "semantemas".

FALAM AS PARTES

Nos desenhos grandes que você encontrará daqui em diante, usamos uma técnica de "balões", tal como nas histórias em quadrinhos.

Só que a "fala" não sai das bocas dos personagens.

É o pé, a mão, a sobrancelha que "diz" alguma coisa.

Cada parte do corpo humano fala exatamente isso – *a sua parte* (Cada "significante" diz o seu "significado" – como diria Saussure).

FALA O TODO

O *título geral*, no alto de cada desenho, é simplesmente o *sentido geral* do conjunto de "opiniões individuais" de cada parte do corpo.

TERNURA

Temos aqui duas partes que emitem seus "balões-legenda", embora não tenham boca para falar. São os ROSTOS e as MÃOS.

Os rostos expressam sentimentos que podemos chamar de *enlevo*,

contentamento, beatitude, tranquilidade amorosa, encanto etc. Como ambos ostentam emoção idêntica, o sentimento é mútuo.

Assim, DIZEM gosto! E como olham um para o outro, *ambos* dizem a mesma coisa.

As duas mãos dela e a esquerda dele, pelo fato de percorrerem o corpo do parceiro – assim tomando conhecimento da sua presença –, mutuamente aprovam o que percebem. Detalhe: a mão *esquerda* dele toma parte nisso – é a "mão do sentimento". A mão *direita* dele – a "mão da ação" – já fala em agir, sugerindo que ela se aproxime mais.

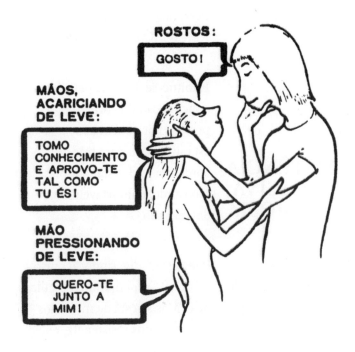

Contudo, a ausência de contato entre as duas regiões abdominais mostra que o "boi" não está "falando" em sexo: é emoção-"leão" aliada ao apreço -"águia".

Diz Freud que a ternura é um resultado de sublimação da energia; no exemplo da esfinge, é a "serpente" que sobe no nível do coração.

RESISTÊNCIA PASSIVA, TEIMOSIA

(EXPECTATIVA DE CONTINUIDADE DA INSATISFAÇÃO PRESENTE)

A inclinação do corpo fala sempre. No caso, é contrária a quem quer que esteja diante dos nossos dois personagens; logo, temos uma clara REJEIÇÃO em linguagem do corpo.

Habitue-se, leitor, a perceber a inclinação do corpo das pessoas com quem conversa. Se está inclinado para trás, veja o contexto: pode estar simplesmente relaxando, confortavelmente descansado.

Pode estar "digerindo" o que o leitor está procurando o inculcar nele. Mas se está de músculos tensos, temos resistência, rejeição.

Braços protegendo o "Leão" (identidade emotiva), *objetos defendendo* o "Boi" (sobrevivência), já é claro para o leitor.

Novidade é o *pé ancorado*; procure observá-lo quando alguém teima em manter o seu ponto de vista numa discussão.

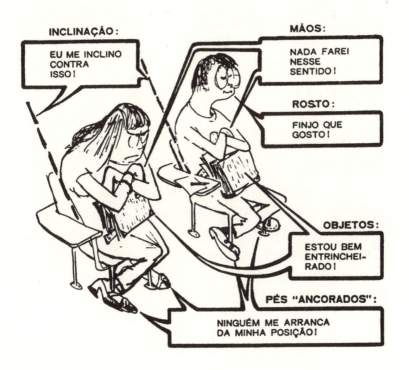

Se um ser humano está *interessado* em alguém ou algo, a inclinação do seu corpo tende a mostrar naturalmente esta sua inclinação emocional.

Mas, se a "águia" avisa que tal ação a descoberto não é conveniente em dadas circunstâncias, o homem tenta reprimir a linguagem do corpo. Tenta, mas o seu interesse reaparece na direção do olhar.

Você precisa estar alerta para perceber esses olhares – podem durar apenas uma fração de segundo.

ATENÇÃO, INTERESSE

ATENÇÃO, INTERESSE

A inclinação do corpo
agora é contrária, mas o homem desinteressado
está "à vontade"; seus músculos não apresentam
tensão. "BOI"
dormitando, ruminando,
sem se preocupar
com emoção alguma.
Retraimento da
"serpente".

Compare os dois exemplos
de desinteresse com os
demais personagens. Sem
exceção, demonstram,

DESINTERESSE

nos seus corpos mais tensos, nas
suas mãos e rostos, um mundo
de emoções. Tente compreender
o que dizem, por exemplo, as
mãos. A moça, embaixo à
esquerda, receosa de ver sangue
de faquir, mostra regressão
momentânea a um estado
infantil – seu dedo na boca diz:
"eu consolo você à falta do seio
materno!"

Foi o que o leitor já percebeu, ao examinar atentamente o desenho anterior, no caso da pessoa que, diante de uma angústia, regressa inconscientemente a um estado infantil.

AVIDEZ

(ORIGEM: FRUSTRAÇÃO ORAL)

Quando uma das mãos, perto da boca, "diz": PRECISO SATISFAZER O "EU", procure perceber o que dizem as outras extremidades do corpo, mais o peito encolhido ou estufado; sempre há uma mensagem que mostra a relação do gesto com o contexto. Como o da outra mão, dizendo: PRECISO DO COLAR AQUI!

A boca é sensível ao prazer, à satisfação, pois o seio materno – ou a mamadeira – satisfaz os anseios de todo ser humano em sua fase de lactente.

As pessoas que sentem a compulsão de gastar a sua energia em atividades orais (reais ou simbólicas) mostram que sua "serpente" ficou fixada no nível do "boi", pois a boca, sendo a extremidade superior do aparelho digestivo, preservador do "pão de cada dia" da sobrevivência física, é um "representante do boi" na cabeça humana.

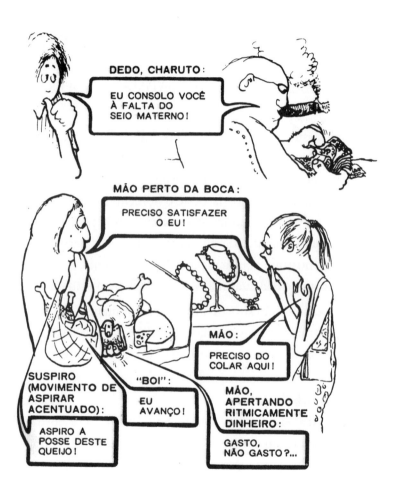

EXPECTATIVA

(DE CONFIRMAÇÃO DA SATISFAÇÃO ESPERADA)

No início deste " vocabulário", sob o título ATENÇÃO, INTE-RESSE, já vimos a inclinação do corpo e direção do olhar que aqui reaparece. E, no capítulo 4 da primeira parte deste livro, observamos naquela cena de faroeste o homem do "sorriso mau" com o queixo apoiado nas mãos, em atitude de expectativa. Torne o leitor a examinar o desenho acima: todos os participantes da reunião mostram aquela inclinação para a frente, e, na figura do meio, o apoio das duas mãos ao queixo é bem evidente.

Todos os rostos estão sorridentes – esperam manter-se satisfeitos (ao contrário dos rostos em RESISTÊNCIA PASSIVA, esperando manter-se naquele contexto pessoalmente insatisfatório).

Como o homem do centro, o da esquerda no desenho também expressa "aguardo" pelo apoio dos cotovelos à mesa. Mas a mão esquerda ("do sentimento") está na boca, no gesto receoso que é muito encontrado em pessoas pouco seguras de si e em cuja primeira infância encontramos pais excessivamente severos. O peito (o EU) a descoberto (homem à direita) mostra total receptividade.

O "EU"

O "EU" é expresso pelo posicionamento do tórax, conforme já vimos anteriormente. No instante em que alguém dá muita importância a si próprio, a "Serpente" da Energia está no nível do "EU-LEÃO". Convém lembrar que estas atitudes, quando mais ou menos permanentes, são fáceis de observar. Mas o corpo fala sempre no Indicativo Presente, no "aqui e agora", e o que diz pode durar apenas um breve instante.

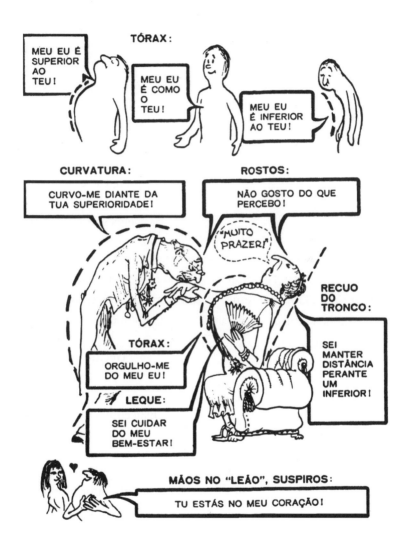

Compare o que vimos no desenho anterior com estes dois personagens. O contexto é outro, mas a estrutura das mensagens é basicamente a mesma. Onde a dama aristocrática estava solidamente apoiada na poltrona, o cavalheiro convidado mantém os pés em atitude de sólido apoio. Cabeça, tronco, membros seguem paralelos similares; tanto faz, por exemplo, a mão da pessoa que domina o encontro "dizer": "Decido aceitar a homenagem do teu beijo formal" ou Decido aceitar um "Hors-d'oeuvre".

Este comportamento de superioridade foi identificado pelos psicólogos como sendo um fator bipolar de "ascendência-submissão".

No caso presente é "ÁGUIA-LEÃO" dominando o "BOI".

SUBMISSÃO DOMÍNIO

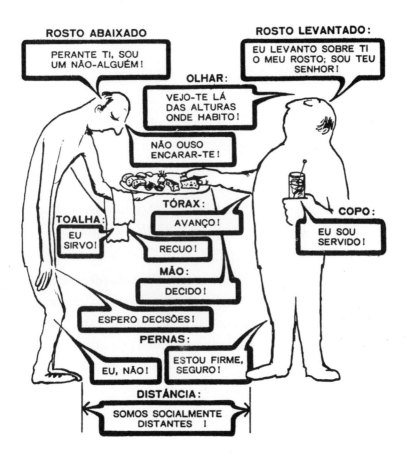

Repare o leitor como o corpo fala de forma nitidamente diferente, quando, *acusando*, mostra um sentimento *ESTÁTICO* (um *PONTO* de vista; *PONTO* é local de PARADA), ou então, *ameaçando*, um sentimento *DINÂMICO* (uma *LINHA* de ação; *LINHA* é algo a *SEGUIR)]*

No primeiro caso, a atitude é *parada* (dedo acusador parado, mão esquerda "do sentimento" chegando a APOIAR a atitude física (mão na mesa). Este último pormenor está de acordo com o princípio de Greene que estudaremos mais adiante neste capítulo.

No outro caso, repare no dinamismo do dedo estendido!

ACUSAÇÃO

AMEAÇA

Nesta emoção que chamamos
de Receio, o fluxo energético
("SERPENTE") começa a se dividir
em direções opostas.

Nos exemplos acima, uma
parte *MÍNIMA* do corpo é
conscientemente exposta ao perigo
para "espionar o inimigo", enquanto
o "grosso da tropa" está pronto
para uma retirada.

RECEIO

Tornamos a lembrar: isto é
caricatura didática! É interessante
observar estes pormenores
quando alguém está diante de
um dilema, de uma escolha
de compromissos pessoal que
envolva riscos, mesmo durante
comunicação verbal
aparentemente amena!

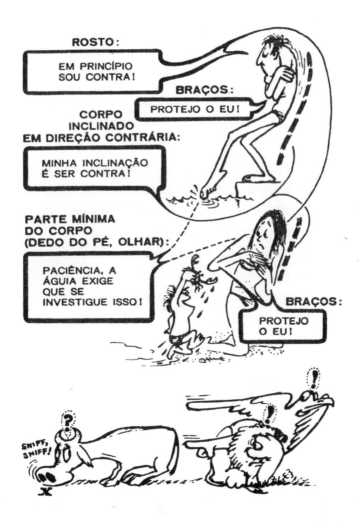

Na escala progressiva *receio-medo-pavor*, a divisão energética em direções opostas vai se acentuando até o medo intenso; há um curto-circuito da "Serpente": a energia é gasta ao mesmo tempo em movimentos de querer (avanço) e não poder (recuo). No pavor, os três inconscientes apavorados agem concatenados por mero reflexo.

MEDO

PAVOR
(TERROR, PÂNICO)

O corpo fala o que a mente contém. Nos casos anteriores, a maioria dos leitores decerto reconhece agora que, mesmo antes de estudar nosso livro, já percebia de alguma forma (menos consciente que fosse) o significado contido nas atitudes do desenho. É o rosto do nosso oponente mostrando contentamento enquanto nos encara com firmeza: mostra interesse amável em nós.

Pelo raciocínio algébrico, mais com mais dá mais; então troquemos os sinais: menos com menos tem que dar menos! O olhar que nos evita, o sorriso que não chega a firmar-se: *não* tem interesse amável em nós!

Quanto à mão temerosa, mole, que não responde a nosso aperto – é preciso dizer mais?

FIRMEZA

FRANQUEZA, INTERESSE,
CORAGEM (VIGOR PSÍQUICO)

FRAQUEZA

DISPLICÊNCIA,
DESINTERESSE,
ACANHAMENTO, RECEIO
(FRAQUEZA PSÍQUICA)

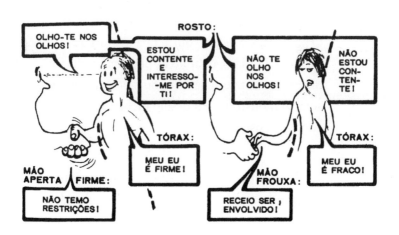

SENSUALIDADE

Na moça ao alto, de mão estendida palma para cima (atitude pedinte), o desejo sensual pode ser ou não consciente. Na maioria das atitudes que o leitor observará na prática, será decerto inconsciente mesmo.

O acariciar de pelos é outra fala inconsciente do "boi". Por isso, quando as pessoas acariciam distraidamente um gatinho ou a pelúcia de um sofá, demonstram seu desejo inconsciente de contato sensual.

A fala inconsciente do corpo da moça dormindo foi observada em pessoas sexualmente reprimidas.

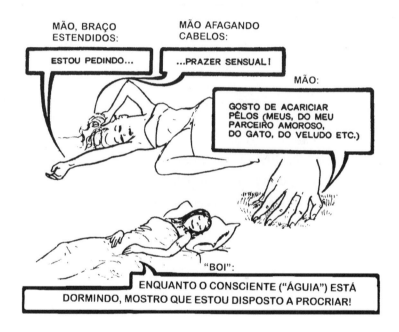

O desejo inconsciente de contato
sensual, visto no desenho anterior,
aqui aparece na figura da direita,
no último plano.

As duas reações bipolarmente
opostas, causadas pelo sentimento
de inveja, aparecem na posição do
tórax: enquanto o homem à
esquerda no desenho se *diminui* ao
comparar-se com o dono da lancha,
a senhora do centro *engrandece* o
seu EU.

<u>INVEJA</u>

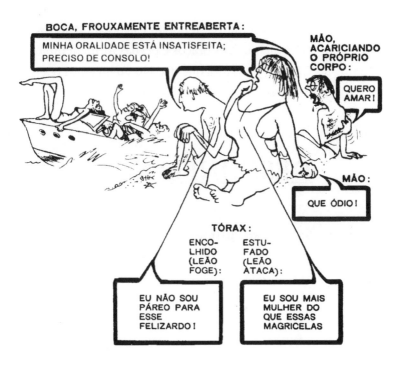

Repare o leitor na figura do psicótico diante da enfermeira. Seus braços e pernas formam uma *GRADE* protetora que diz: Ninguém entra (e eu não posso ou não quero sair)!

DESCONFIANÇA

(REJEIÇÃO INTRANQUILA DE CONTATO HUMANO)

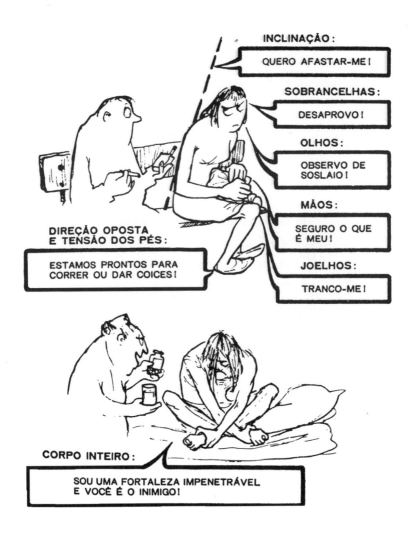

MUTISMO

Muitas vezes acontece que, numa conversa, não podemos ou não queremos externar nossos sentimentos. Isto também é expresso pelo nosso corpo.

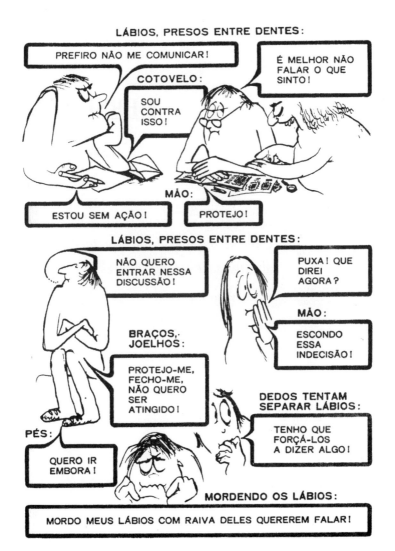

PERSUASÃO

(ESFORÇO DE...)

Um estudo detalhado do desenho decerto dispensa maiores comentários

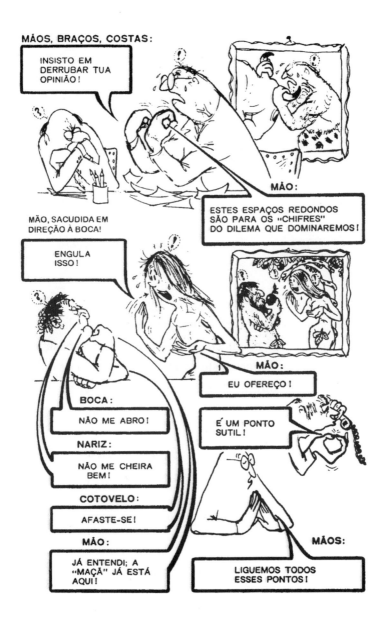

SAIR

(DE UMA DADA SITUAÇÃO)

Será interessante para o leitor estudar também, *em separado*, somente as posições dos *pés* neste desenho. Direção do pé indica direção da intenção de locomover-se, de chegar-se ao que interessa naquele momento.

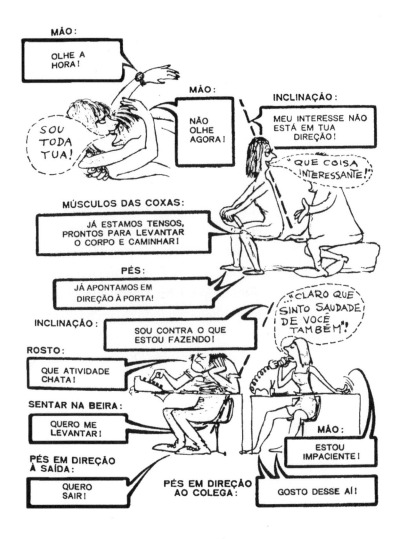

PROTEÇÃO

Observou os pés do casal sentado? Apontam-se mutuamente! A mão esquerda da moça (mão "do sentimento") prende a dele! Com a direita, ela puxa o braço direito dele "dizendo" ao "outro": quero ser protegida pelo *MEU* parceiro! Procure notar como é comum um homem fazer um gesto inconsciente de proteção qualquer à sua companheira, quando algum possível rival se aproxima, e, sobretudo, procure notar esse gesto de proteção no *SEU* caso, quando em circunstâncias idênticas!

DESAFIO

O desafio é uma constante no
nosso presente contexto cultural.
Temos que "passar à frente"; é preciso
"colocar os outros nos seus lugares"!
Jouer des condes em francês,
Ellenbogenraum em alemão, *elbowroom*
em inglês (tudo isso, literalmente,
se refere ao espaço para cotovelos),
é a atitude física correspondente
que alcançou foros de linguagem verbal!

O correspondente tecnológico da cotovelada empurrando o concorrente é a manobra neurótica de cortar a frente de outro automóvel com o seu, de forma desafiadora. É um exemplo da conveniência de observarmos conscientemente o que o nosso próprio corpo fala e não cedemos a esses impulsos mortais.

REGRESSÃO

(A UM ESTADO INFANTIL)

Todos nós temos momentos de regressão na vida. Carnaval, futebol, brincadeiras de salão, são exemplos mais corriqueiros.

Os psicanalistas e os cientistas do comportamento nos apontam, no entanto, exemplos mais inesperados: Dormir, voltando à posição fetal; aninhar-se como uma criança pequena no colo da pessoa amada e, numa das reações à frustração, fazer "manha" (bater o pé, xingar etc.).

LINGUAGEM DOS OBJETOS

(ESCOLHA DE...)

OBJETO TAMBÉM FALA!
*Todo e qualquer objeto
relacionado com pessoas adquire uma
linguagem própria.
Exibir uma Mercedes fala! Empunhar uma
garrafa de uísque escocês legítimo ou
vestir farda de corpo de bombeiros fala!
Veja, nas figuras das moças acima,
o que "dizem" suas atitudes relacionadas
com os objetos que preferem manusear!*

É o superego de Freud, localizado no nível da Águia, que faz com que a circulação da energia esteja inibida em relação a tudo que tem relação com a linguagem; é o modo inconsciente da punição muito frequente em pessoas que foram muito castigadas na infância.

Mas nem por isso toda a pessoa que se encolhe sente-se culpada de alguma coisa!

Antes de sucumbirmos à tentação de dogmatizar em termos deste vocabulário é bom lembrar o que dizem ter acontecido em Viena: eis que um grupo de estudantes de Psicologia, altas horas da noite, dobra uma esquina e encontra – quem? O próprio Freud esperando um bonde, enquanto saboreia um enorme charuto! Silêncio constrangido; todos pensam em libido oral, ninguém ousa falar.

CULPA
(SENTIMENTO DE...)

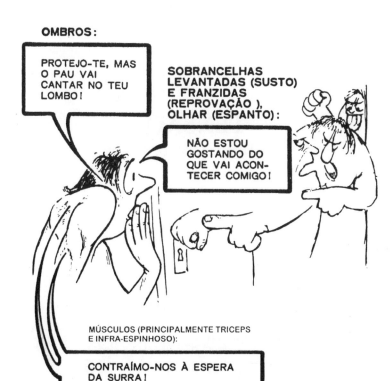

Então o Mestre, deliberadamente, retira o charuto da boca, contempla-o pensativo e diz: "Senhores! Existem momentos na vida de um homem em que um charuto é APENAS UM CHARUTO!"

*

TENSÃO
(*STRESS*, ANSIEDADE)

Convém um comentário extenso. Tensão, no homem, é isto:

É uma acumulação de energia contraindo certos músculos, à espera da ação decisiva para alcançar certo objetivo. Este objetivo pode ser alvo material ou mental, consciente ou não.

*

Freud, desesperançado de achar conexões sistêmicas entre o consciente e o sistema nervoso, confessou que lhe era desconhecido o que havia entre o "cérebro, órgão corporal e cena da ação" da vida mental, e os seus substratos fisiológicos. Por isso, daí em diante, a prática psicanalítica concentrou-se principalmente nas relações intrapsíquicas.

Mas, começando talvez com Reich, que chamou a atenção sobre a *LINGUAGEM DO CORPO*, o mistério começou a ceder. Surgiu a análise energética de Lowen, a terapia *Gestalt* de Perl e muitas outras. Assim, Greene e colaboradores (1970) obtiveram dados suficientes para formular o

PRINCÍPIO PSICOFISIOLÓGICO

CADA MODIFICAÇÃO NO ESTADO FISIOLÓGICO É ACOMPANHADA POR UMA MUDANÇA APROPRIADA NO ESTADO MENTAL-EMOCIONAL; E RECIPROCAMENTE CADA MODIFICAÇÃO NO ESTADO MENTAL-EMOCIONAL É ACOMPANHADA POR UMA MUDANÇA APROPRIADA NO ESTADO FISIOLÓGICO.

Este princípio se aplica perfeitamente no que acima dissemos e desenhamos: Para a mudança mental-emocional do nosso caçador, que de repente percebe o alvo, temos a imediata mudança física do estado dos seus músculos, retesando o arco.

Vamos traduzir aquele "Princípio de Greene" para o nosso (mais leve, porém menos preciso) estilo didático?

> **PRINCÍPIO ÁGUIA & BOI + LEÃO**
>
> UMA MEXIDA QUALQUER NO BOI REPERCUTE EM ÁGUIA + LEÃO.
> E, SE MEXER COM ÁGUIA E/OU LEÃO, REPERCUTE NO BOI.

Mas, o que aconteceu com nosso silvícola do desenho, enquanto lemos isso?

Já disparou a flecha. Houve a ação, já se descontraiu. Em linguagem do corpo, este não repete monotonamente: "Meu *EU* precisa se esforçar sempre para alcançar aquele objetivo". Os seus músculos não mais apresentam aquela tensão máxima que bloqueara por *UM MOMENTO* o livre fluxo da energia, enquanto se concentrara na tarefa de apontar com precisão para o alvo.

Tudo isso foi quase instantâneo. *Nenhum "primitivo" demora na posição de arco tenso, frustrando-se de atirar!*

A sua tensão é natural, vem e *VAI*. É rítmica, como todo fluxo energético normal no universo.

ALVO FIXO É NOVIDADE

Ora, isto sempre foi assim, até que chegou a civilização, com uma novidade na história da evolução: os alvos fixos. Mais a ansiedade de mantê-los sob a nossa mira constante!

Eis a ansiedade, a "tensão" de nossos dias. Não surge e desaparece, no vaivém natural. Vem e *FICA*.

É o alvo fixo de toda uma coleção de regras de conduta ideal para a vida inteira que, desde a infância, nos foi inculcada na águia e guardada no boi e no leão. Só que nem Guilherme Tell acertaria naquela maçã na cabeça do filho a vida inteira – braço cansado treme e há sempre um ventinho para atrapalhar.

— Acertou no centro? Tem prêmio!

— Acertou fora do centro? É crime; tem castigo!

Ficamos tensos. O boi está indócil, cutuca o leão com os chifres. O instinto quer seguir o costumeiro impulso natural do alvo momentâneo e esquecer o assunto.

Mas a águia não deixa. Então os músculos correspondentes à ação frustrada permanecem tensos, seja nos ombros, nos maxilares, nas costas ou nos vasos em que fluem os líquidos do corpo.

Temos uma situação biofísica e bioquímica anormal. É "STRESS". Quanto ao resultado, os engenheiros já têm a palavra adequada: é "STRESS-CORROSION". A gente se "rói por dentro".

Roer as unhas: haverá uma forma mais clara do corpo dizer "estou me roendo"?

Alexandre Lowen, um médico norte-americano, inspirado nos trabalhos de discípulo dissidente de Freud, Wilhelm Reich, apresentou uma explicação muito lúcida de como se instala uma tensão muscular. Para isto, ele

lembra primeiro os princípios fundamentais que regem o que Freud chamou de "aparelho psíquico".

Freud, por motivos de análise e de pesquisa, separou artificialmente a vida psíquica da vida fisiológica e se concentrou sobre aquela.

É do corpo que vem, segundo Freud, a origem de nosso "Ego" animal, que é o "ID", isto é, os impulsos tais como comer, beber, defecar, urinar, ter relações sexuais. Procuram garantir a nossa sobrevivência pessoal e a da espécie.

Mas o meio e, mais particularmente, a sociedade bloqueiam estes impulsos ou, pelo menos, atrasam a sua descarga: só se pode mamar em certas horas, urinar em certos locais e ter relações sexuais com certas pessoas e em certas condições conhecidas de todos.

Cada vez que um impulso não é imediatamente satisfeito, a energia a ele destinada se acumula no músculo que lhe impede a descarga, provocando uma tensão muscular. É a tensão do esfíncter da nossa bexiga, enquanto procuramos, aflitos, um banheiro desocupado...

Os pais que são os principais agentes de repressão ou adiamento destas descargas passam aos poucos a ser "introjetados", isto é, passamos a assumir nós mesmos o papel deles; eles passam a existir em nós. Em vez de mamãe dizer: "Não defeque nas calças ou não urine na cama", há uma voz interior que nos impede de o fazer. Esta voz interior, que se torna inconsciente, é o que Freud chamou de superego.

Cabe ao Ego civilizado apaziguar esta luta entre o Id e o mundo exterior de um lado, e

o superego interior do outro. Ora, cada vez que a águia impede o boi de agir, a energia se acumula no músculo antagônico ao que obedeceria ao boi. Podemos dizer que a serpente-energia se enrola, tensa, num nó muscular, mas não a deixam dar o bote.

Assim, toda tensão muscular crônica, toda postura ou expressão forçada permanente que se traduz em linguagem "fixa" do corpo, é uma expressão corporal de superego que conseguiu se impor naquelas circunstâncias.

E, evidentemente, toda tensão, postura ou expressão forçada passageira indica *com precisão cronométrica* a duração do domínio do superego naquele contexto.

A análise "bioenergética" do Lowen consiste justamente em fazer uma verdadeira psicanálise psicossomática que abrange ao mesmo tempo o corpo e a mente; desbloquear uma tensão muscular consiste em reconstituir e fazer reviver a história do nascimento daquela tensão. Libera-se assim a energia retida no músculo, para aproveitá-la em atividades úteis à pessoa, além de livrá-la de dores (Alexander Lowen. *The Language of the Body*. New York: Collier Books, 1958).

Existem muitas outras técnicas psicoterapêuticas; conheceremos algumas no capítulo 16. Por enquanto, convém continuarmos este já longo comentário sobre a tensão, só para melhor entender-lhe os efeitos na linguagem dos gestos inconscientes.

OS SINAIS DA ESFINGE

Já vimos que, nas tensões passageiras naturais do ritmo da vida, a energia é logo aplicada diretamente onde aprovamos (Também pode ser aplicada simbolicamente. O efeito é similar).

Mas permanece bloqueada quando nos angustiamos: a luz vermelha tem que ser respeitada!

Temos, assim, três situações de tráfego para a nossa energia:

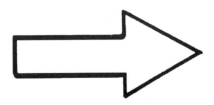

1. LUZ VERDE

Canalizamos nosso fluxo de energia no rumo "bom". A tensão foi "construtiva". Transformou-se numa ação aprovada e seguimos adiante.

O silvícola disparou a flecha. Isto também se aplica quando consideramos a ação incompleta, mas constituindo um passo na direção certa: O silvícola está contente porque acabou de fabricar o seu arco e suas flechas e, no momento, não tem fome!

EM LINGUAGEM DO CORPO: ausência de sinais de tensão muscular constante, posturas normais, gestos fluidos, harmônicos, expressão de repouso ou contentamento, descontração.

2. LUZ VERMELHA

(Mas com uma ruazinha lateral desimpedida, permitindo um desvio antes do sinal fechado.)

Bloqueio de pouca duração e/ou intensidade. Desviamos nossa energia para um canal paralelo.

E o murro na mesa para não amassar a cara desse sujeito aí! Doeu um pouco (o que foi um "bom" castigo por sermos quase tão "maus" como ele) mas a dor passou; evitamos o que é "mau", e isto foi "bom".

EM LINGUAGEM DO CORPO: Atitudes agressivas (ou autoagressivas) por ocasião do contexto favorável à sua expansão.

3. LUZ VERMELHA MESMO

(Ruazinha lateral já entupida, por capacidade insuficiente.)

Bloqueio pertinaz e/ou intenso. A energia extravasa, causando sintomas pertinazes e/ou intensos nas atitudes corporais.

Deposto e exilado na Holanda, o altivo Ex-Imperador Guilherme II da Alemanha (cuja severa educação o deixara convicto, desde a infância, de que lhe cabia o papel vitalício e inalienável de dirigir aquela nação) passou o resto dos seus dias rachando lenha. Talvez por isso lá observemos tão poucas árvores...

EM LINGUAGEM DO CORPO: Atitudes agressivas (ou autoagressivas) constantemente repetidas ou mesmo permanentes.

Podemos, agora, voltar à apresentação do nosso vocabulário pelos desenhos com energemas transformados em balões-texto.

TENSÃO

(MÃOS DEMONSTRANDO...)

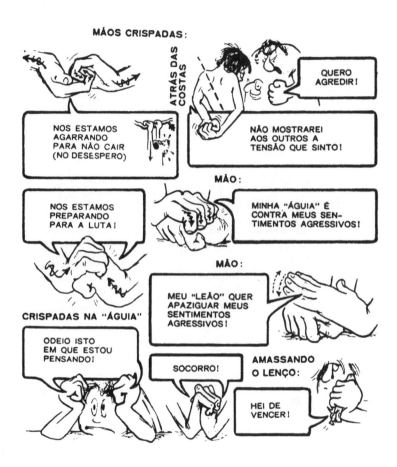

TENSÃO

(MÃOS E PÉS DEMONSTRANDO...)

TENSÃO

(MATRIMONIAL)

TENSÃO (AUTOAGRESSÃO)

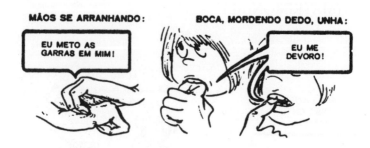

TENSÃO (HOSTILIDADE INCONSCIENTE)

TENSÃO (DÚVIDA VERBAL)

TENSÃO (HOSTILIDADE REPRIMIDA)

TENSÃO (AGRESSÃO CONTIDA)

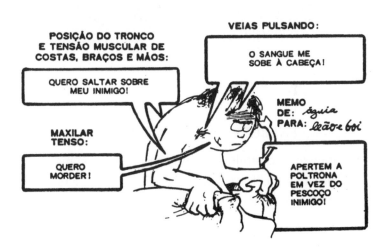

O QUINTO PRINCÍPIO

Agora, amigo leitor, você mesmo já chegou à conclusão de que a linguagem do corpo tem uma estrutura determinada; podemos estabelecer mais um princípio!

Lembra-se dos quatro princípios do capítulo 9, no fim da primeira parte? Eram o "COMO" a coisa funcionava. Agora, vejamos o quinto princípio, ou seja, o "QUE" da Cinésica:

> **V**
>
> NUM DADO MOMENTO, A REUNIÃO DOS COMPONENTES BÁSICOS SIMULTÂNEOS (ENERGEMAS).
>
> **SEMPRE**
>
> RESULTA NA UNIDADE SEMÂNTICA (SEMANTEMA) QUE CORRESPONDE À EMOÇÃO CONSCIENTE OU INCONSCIENTEMENTE DOMINANTE NAQUELE MESMO INSTANTE.

É o que vamos elucidar a seguir:

ENERGEMAS E SEMANTEMAS

Lembra-se do capítulo 6, quando braço, nariz ou mão ainda eram comparados a "letras" da "palavra" do corpo? Você ainda estava no início da sua realfabetização cinésica!

Agora você já "sabe ler".

Braço, nariz ou mão dizem palavras, ou até frases inteiras. Somadas, formam um sentido geral que, por percepção direta, um observador treinado entende na sua *totalidade e instantaneamente!*

Em linguagem da TEORIA DA INFORMAÇÃO E PERCEPÇÃO ESTÉTICA (A. Moles), diríamos que você juntou *MORFEMAS* (unidades neutras, mensagens básicas) para formar um *SEMANTEMA* (a unidade-mensagem básica que, equacionando seus morfemas componentes, emite um conceito completo).

Tal como o náufrago desta ilha deserta, que juntou os pauzinhos e coquinhos isolados (morfemas) para formar o *semantema* "SOS" em código morse.

Em linguagem da TEORIA DA PERCEPÇÃO CINÉSICA (P. Weil e R. Tompakow), os morfemas que você juntou são:

ENERGEMAS { CONCORDANTES (entre si)
DISCORDANTES (entre si)

Com isso, você obteve

SEMANTEMAS { HARMÔNICOS
DISCORDANTES

Por exemplo:

PARTE DO CORPO:	ENERGEMA:	
ROSTO	"SIM, EU GOSTO!" (expressão de agrado, sorriso etc.)	SEMANTEMA HARMÔNICO: "estou contente com o que você me oferece!"
MÃOS	"ME DÁ!" (estendidas, palmas para cima).	

PARTE DO CORPO:	ENERGEMA:	
ROSTO	"SIM, EU GOSTO!" (idem, idem)	SEMANTEMA DISCORDANTE: "Finjo que estou contente, mas estou na realidade com raiva de você!"
MÃOS	"ESTOU COM RAIVA!" (crispadas, por trás das costas)	

As harmônicas são sempre mensagens mais fortes (os fluxos energéticos são num mesmo sentido, sem interferência entre si, e há uma potencialização elevada). Por isso também são mais fáceis de serem notadas por um observador.

VIGOR E NITIDEZ

Outra coisa importante para você "ler": O "tamanho da escrita" (vigor) e sua "caligrafia" (nitidez).

A posição das mãos em atitude de "me dá!" é idêntica nos dois cavalheiros da primeira fila, mas o par de "energemas" do cavalheiro enérgico é "escrito" com nitidez em brutais letras de cartaz de circo.

Já o senhor astênico, em primeiro plano, emitiu o seu "me dá" em letrinhas de bula de remédio. Nem sequer levantou suas "antenas emissoras" do colo; só virou, inconscientemente, as palmas das mãos para cima. É energema tão debilmente emitido que a gente se pergunta como teve energia bastante para ir até o teatro!

Quanto à "caligrafia" é simples: Gente obesa, reumática, sem vigor, se move mal; já é a própria linguagem do corpo em semantemas discordantes contínuos. Enquanto isso, aquele que é física e mentalmente desinibido apresenta sua "mente sã no seu corpo são". Então transmite com nitidez (e, infelizmente para nós principiantes, com aquela rapidez da agilidade psicomotora perfeita). Mas é uma nitidez sem ambiguidade, enérgica e clara; sinal emitido com alta potência, sem ruído de fundo.

Sobretudo as pessoas cuja postura é graciosa, natural, idêntica à dos silvícolas, obtida pela TÉCNICA ALEXANDER, ROLFE e outras, transmitem as mais sutis gradações com a mais "alta fidelidade", pois são de um vigor mais saudável; veremos isto no capítulo 17.

TREINE COM CUIDADO; NÃO BRINQUE COM OS SENTIMENTOS DOS OUTROS!

Convém treinar durante alguns dias, com a ajuda da pessoa MAIS BEM-HUMORADA e MAIS EXTROVERTIDA do círculo dos seus amigos. E só durante uns poucos instantes, para não ferir-lhe os sentimentos. É assim:

Ponham-se à vontade e puxem um assunto qualquer discutível, porém ameno. Comecem a debatê-lo com naturalidade.

À medida que, diante da sua argumentação, seu amigo ou sua amiga recuar o tronco, cruzar os braços, trançar as pernas etc., INTERROMPA a sua própria argumentação e

ALEGREMENTE aponte-lhe o gesto em questão, citando-o em voz alta, bem como o seu significado.

Verá que, provavelmente, mudará de posição. Continue o comentário ("Ora, meu amigo! Você descruzou os braços, mas apontou o cotovelo na minha direção! Você continua a ser contra, hem?").

SUSPENDA a série contínua depois da terceira ou quarta descodificação! Do contrário, você porá em sério risco a sua amizade; um inconsciente magoado é sempre difícil de ser consertado, e o leigo, tentando, pode piorar o caso!

E INSISTA para que ele faça a mesma coisa com vocês, em interação mútua consciente e divertida.

Assim, com poucas doses CURTAS entre amigos sinceros de espírito esportivo, todos se beneficiarão e darão umas boas risadas.

NUNCA faça isso com uma pessoa de mentalidade menos evoluída,

insegura de si, ou mal-humorada. Você irá magoá-la, "brincando" com seus sentimentos. Seria odiento.

Por outro lado, se NÃO treinar, será bem menos eficiente.

Terá apenas lido um livro divertido a mais. Poucos dias, com treinos de uns poucos minutos por dia, bastam!

E DEPOIS?

Depois, você, pela sua capacidade de entender intimamente os seus semelhantes, terá adquirido aquela superioridade de quem "já sabe ler" melhor que os outros.

Use-a de coração limpo. E você fará o bem e se beneficiará disso; por toda sua vida você será um componente melhor do seu grupo, na eficiência das comunicações claras, livres de bloqueios e distorções.

Mal empregada (como qualquer ciência) – procurando tirar, por exemplo, vantagens que a ética condena – os resultados serão tristes e você se arrependerá de causar um aborrecimento onde, com um pouco mais de tato e um pouco menos de egoísmo, você teria dado e recebido a alegria de um bom entendimento mútuo.

Porque, para brigar, convém pensar duas vezes; mas para o amor deve sempre haver um espaço de tempo disponível de imediato.

O que nos leva ao capítulo seguinte!

Capítulo 13
O AMOR E SUA EXPRESSÃO CORPORAL

1. As mensagens individuais

O que é o amor? – Como amamos as coisas? – E as pessoas? – A humanidade não é um clube.

UMA PAUSA PARA O AMOR

E por que não? Haverá algo de melhor do que o amor? Merecemos, o leitor e nós, uma pausa nas nossas lições de gramática (palavra horrível!); então dediquemos estas páginas ao amor.

O que é o amor?

No desenho acima, um esquema simples para tentar a resposta:

O QUE AMAMOS

A ÁGUIA – Ama o raciocínio, o saber, a satisfação da sua curiosidade. É realista, foge da ilusão. E procura enxergar longe. Quer o "CERTO". "USA A CABEÇA"...

Um congresso de sábios discutindo princípios de matemática é, naquele momento, um bando de águias.

O LEÃO – Ama o sentimento, música, cores, poesia, forma. Distingue entre lágrimas e o riso, o coração batendo de esperança ou o peito arfando em desespero. Não raciocina, é impulsivo. Quer o "BELO", o "BONDOSO", o "SIMPÁTICO"...

Um conjunto musical ou uma academia de poetas é, no momento de exercer aquelas atividades, um bando de leões.

O BOI – Ama os prazeres simples, aqueles que são importantes para a sobrevivência do ser humano: respirar o bom ar, fazer bater bem o sangue, dormir comodamente, beber e comer bem, defender bem o corpo de todos os perigos físicos e caprichar nos atos de excitação, cópula, fecundação, parto, amamentação etc., que visam à continuidade da família humana sobre a terra.

Para isso trabalha "como um boi", em mil tarefas. Mas, em síntese, ama apenas a sobrevivência física, o "BOM", para um saco de pele cheio de protoplasma que a águia registra e o leão sente como sendo Doutor Fulano ou Senhorita Sicrana...

Qualquer sujeito, enquanto come, bebe, procria (ou pelo menos finge que procria), respira, pisca, se coça, dá um tapa ou ronca, funciona de boi.

COMO AMAMOS AS COISAS?

Óbvio e simples. Quando a águia em nós arma uma equação, pegamos um papel e lápis e vamos às fórmulas. Nosso leão vai tirar uma soneca e o boi apenas exige a poltrona cômoda e que não pratiquemos álgebra depois de um jantar exagerado – senão nos castigará com sonolência interferindo nos cálculos!

E quando o leão em nós se extasia diante de um bonito sapato na vitrina? Ruge no ouvido da águia até esta fazer o cálculo do preço do sapato *versus* despesas mais necessárias.

Se vencer a briga, falta só o boi concordar que o sapato esteja cômodo no pé.

Do contrário, nada feito – boi e águia, trabalhadores das fronteiras da vida, são muito mais autoritários do que o frustrado *playboy* do centro – e que por isso mesmo vive cheio de melindres, complexos, neuroses e outros desajustes do EU.

Quanto ao boi, já sabemos o que quer – quer viver em paz e cuidar das suas tarefas. Não é ele que sustenta os outros dois sobre suas quatro patas?

E COMO AMAMOS AS PESSOAS?

Amor de boi – o boi diz "estou precisando".

Mostra intumescimento, secreção, sensação de desejo físico.

A águia, sempre desejosa de novos acontecimentos a registrar, concorda em princípio; só pesa e julga as inconveniências e pode muito bem concordar com o "desejo da carne".

Se o leão não se manifesta, temos o ato genital sem graça da prostituição, do estupro ou similar.

E se o leão aprova, digamos, o lado estético? O mesmo ato comercial já pode ter algum encanto – afinal há leões estetas sexualmente frustrados que pagam só para assistir a *strip-teases*, ou folhear revistas pornográficas.

Como a masturbação solitária, não chega a ser um grande mal, mas é um bem incompleto; pão seco, sem manteiga.

Amor de leão – o leão, que surgiu muito mais tarde na evolução, quer ser o fiscal do boi.

Romântico e impressionável, é o grande sentimental. Ama platonicamente.

É a ternura mútua, que dispensa ou antecede, acompanha e permanece após a satisfação dos instintos; é o que há de nobre, carinhoso e belo no amor. É capaz de castidade – rejeitando o insistente boi – ou de afrontar a pressão social de um amor condenado pelos mexericos dos vizinhos – agora protegendo o desprezado boi.

Amor de águia

Lamentamos informar que esse bicho não *ama*, na acepção *sentimental* da palavra.

Apenas aprecia. Julga. E calcula onde está o seu interesse.

Se insistirmos naquele verbo: ama sim, mas ideias abstratas, ideais, projetos; nunca a doce prisão de um quente e cheiroso abraço.

Porque voa alto, distante, mergulha no passado para comparar, no futuro para acertar – o presente é sempre um problema para coordenar, para fiscalizar, para ser juiz, ter juízo...

Juiz de regata não pega em remo.

VAMOS AMAR?

Dulcineia ama Rodrigo. Por natureza, ela tem um leão que é enorme. Mas que recebeu, desde a infância, mil advertências da sua águia contra bois soltos. E a águia dela continua recebendo mil informações atuais de mulheres que se deram mal com isso.

Então, embora tenha praticado os rituais socialmente exigidos que a águia conhece como casamento (e o boi não entende), na Dulcineia vive e treme um leão assustado. Talvez a águia também!

Só o boi, coitado, em forma? Nem tanto, é minoria de um contra dois. Corresponde a alguém condenado a sentir unicamente o prazer dos "vícios solitários", e ainda por cima se *sentindo* culpado!

Muita paciência há de ter Rodrigo. A pobre Dulcineia procura compensar – arruma-lhe a roupa, enfeita o lar, penteia-o antes de sair de casa, mas...

Celeste ama Ândrocles. A esfinge dela tem uma águia excelente que enxerga tudo mesmo e um boi fabuloso de potente.

Mas, procurando o amor, o leão dela pisou num espinho, nas distantes e esquecidas paisagens da sua infância.

Este espinho continua encravado.

Cada vez que águia e boi (não importa quem teve a ideia primeiro) chamam o leão para participar da festa, o coitado, na hora do entusiasmo, vai de arrastão, mas não consegue se divertir direito.

E, como é leão, morde!

Celeste, mal de boi satisfeito, briga com o eleito daquela noite – como já brigou com tantos outros. Se não foi ela que inventou a liberdade sexual não se importaria de tê-lo sido. O que, aliás, não lhe tem servido de nada até agora.

Conseguirá Ândrocles retirar o espinho da pata da Celeste? Voltem na próxima semana a este teatro, que o espetáculo continua...

E assim, quantos e quantos casos há de ajuste apenas parcial? Experimente o leitor, classificando os *seus* casos de amor. Dê *nomes* aos bichos!

EXISTE O AMOR COMPLETO?

Claro que sim! Basta a unanimidade em vez do voto de dois terços, ou mesmo de um terço rebelde a fazer a sua oposiçãozinha temporariamente vitoriosa. E isto por parte do grupo das duas esfinges.

São os dois bois, ambos os leões e o par de águias, num só grupo de seis amigos,

cada um aprovando, respeitando, apreciando, confiando nos *outros cinco*! Amam unidos, permanecem unidos, apesar da – ou antes *por causa* da – liberdade!

Esta é inclusive a verdadeira liberdade sexual, é a única que resulta em monogamia livre e voluntária (pelo menos enquanto durar a união dos seis).

Dá vontade de comparar com a Suíça, onde cada cidadão é militar; convocado uns poucos dias por ano, leva seu armamento para casa. É o porte livre de armas para todos – e nem por isso aqueles relojoeiros todos andam passeando de fuzil na mão.

Nós, os autores, garantimos, pela nossa observação pessoal, que preferem o guarda-chuva.

Pode ser que um dia isso acabe por lá, mas por enquanto é ou não é sinal de harmonia, de paz interior?

Paz em liberdade é o que o Amor Completo exige dos seus participantes. O leão deitado, tranquilo, ao lado do boi – é ou não é uma visão do paraíso?

Fazemos votos que a trindade Razão-Emoção-Instinto do leitor seja *una*, para que conheça a *Verdade*, que é *Amor*. E a Verdade o libertará.

FIM DA PAUSA

Voltemos às aulas. Todas essas permutas e combinações entre os três componentes das pessoas – quanto não exprimem na linguagem da vida, que os seus corpos transmitem?

Procure o leitor, nos gestos e nas atitudes dos seus semelhantes, a linguagem do amor – parcial ou total, fugaz ou constante, implorando ou concedendo, frustrado ou satisfeito.

Estará presente aos seus olhos.

Na barriga exagerada do boi mal-assessorado pelo leão frustrado de amor.

Na acariciante mão da velha que afaga o gato no colo, no lugar da cabeça do neto que partiu para a guerra que está na moda.

No peito do moço, o EU enfeitado de camisa colorida, ou do pé da moça, apontando discretamente para o seu escolhido...

E é bom que assim seja, porque a humanidade não é um clube onde *escolhemos* ser sócios e sim uma família na qual entramos ao nascer. Podemos rescindir nossa qualidade de sócios, mas não de parentes; então é bom que a gente se entenda bem. E não é isto o que o leitor e nós pretendemos?

Mesmo porque a atual linguagem verbal – qualquer que seja o idioma e por mais que se esmerem os tradutores – não nos parece funcionar muito bem como instrumento de entendimento entre os homens...

Capítulo 14
O AMOR E SUA EXPRESSÃO CORPORAL

2. A troca energética

Em que se trata da estrutura do amor e similares, e a energia no amor conta pontos.

AMOR

Consideremos por um momento cada "animal" nosso como um "EU" separado. Cada um deles entende, aprova e assimila totalmente o fluxo energético recebido dos outros cinco (Para tornar isso claro, estabelecemos a complementação sexual nos símbolos animais deste desenho).

Então, ao perceber o entusiasmo com que sua mensagem pessoal é respondida pelos outros cinco, CADA UM dos seis inconscientes como que se desinibe, se REALIMENTA destas respostas imediatas (Palmas do auditório, realimentando o "EU" de um ator, pode dar uma ideia distante disto).

É a sensação de ÊXTASE, de EXPERIÊNCIA SUBLIME, pois o fluxo da energia é reciprocamente estimulado, potencializando-se de instante a instante!

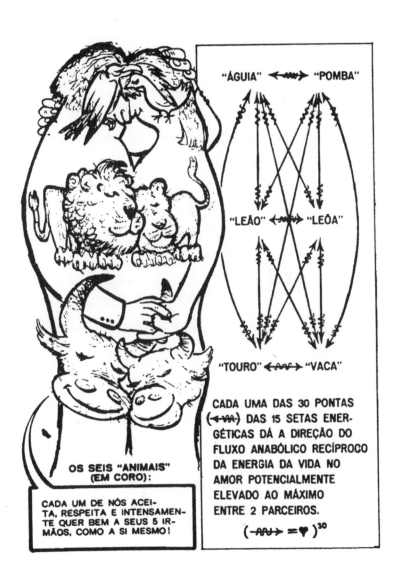

A ESTRUTURA DO AMOR E SIMILARES

O desenho anterior mostrou a estrutura essencial do amor entre dois parceiros, elevada à sua potência máxima. Vamos tornar isso bem claro:

Uma só pessoa

Para que você, leitor, esteja "bem" consigo próprio (isto é, sem conflitos internos, satisfeito consigo, "amando-se" dentro da justa medida), basta isso:

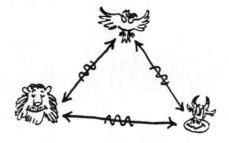

É a harmonia entre a sua razão, sua emoção e seus instintos. Harmonia como a de três teclas de piano bem relacionadas entre si.

Mas um ser humano não é um piano; então temos que nos imaginar estas três teclas com energia vital própria, vontade própria, e cada uma capaz de tocar, se quiser, as duas outras!

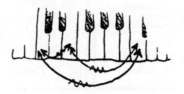

São, portanto, *SEIS* pontos de contato; seis pontos de impacto para o fluxo da energia vital. E a linguagem do corpo se expressará por ele.

EXEMPLO 1

A SETA PARTE DO BOI E ALCANÇA A ÁGUIA

O boi sente-se à vontade para pedir à águia que você tire o sapato apertado. A águia não segue o preconceito que lhe negaria este direito na presença de outras pessoas. Concorda pacificamente.

A linguagem do corpo diz: "Sinto-me à vontade!"

EXEMPLO 2

A SETA PARTE DA ÁGUIA E ALCANÇA O BOI

Agora a águia pede ao boi para voltar a pôr o sapato, pois o grupo está na iminência de saltar do carro para uma visita formal, e o leão não quer que tomem o dono dos dois por desmazelado.

A linguagem do corpo diz: "Estou satisfeito por escolher dos males o menor" (sobrancelhas: ligeira contrariedade; sorriso: tudo bem!)

Como vimos, o Departamento da RAZÃO e o Departamento do INSTINTO gostam um do outro, dentro do nosso personagem. Então, em vez de duas setas paralelas é mais simples usar uma de duas pontas nos diagramas que demonstram atração mútua, concordância, *feedback* harmônico (ou "loveback", como agora prefere MORENO, o "pai" do Psicodrama):

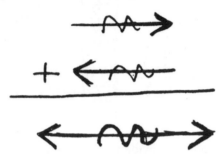

E cremos que ficou bem claro que são em número de SEIS os pontos de impacto para o fluxo da energia vital entre a nossa jovem e irrequieta *RAZÃO* inteligente, nosso (raramente maduro) *EU* emotivo e nossos biologicamente antiquíssimos *INSTINTOS* que guardam a tradição da espécie.

DUAS PESSOAS

Coloquemos duas pessoas estranhas, uma de cada lado de um muro:

Mesmo que ambas tenham qualidades maravilhosas de equilíbrio interno, sem o menor vestígio de conflito entre os componentes de cada uma, ainda assim

a soma total só alcança, evidentemente, um máximo de DOZE pontos. (É só contar pontas de flecha no desenho!)

Aliás, esse total nem existe e sim dois subtotais seis e seis, pois o muro impede a soma, como já havíamos visto anteriormente.

INTENSIDADE CRESCENTE DA HARMONIA

Suponhamos, agora, o muro parcialmente demolido, e os dois admirando cada qual os conhecimentos de, digamos, geometria analítica do parceiro. As Águias estão em harmonia:

Conte as flechas, leitor; a soma "doze" é impossível! Ou são seis de cada lado, ou são no mínimo catorze! E assim por diante, até chegar a trinta!

Não vamos tirar ao leitor o prazer de pegar, ele próprio, de um lápis e traçar mais ligações; queremos que sinta pessoalmente o prazer de descobrir como a intensidade de relações humanas cresce quando a gente se entende cada vez melhor. É o exercício que recomendamos a esta altura!

Quando um dos autores – o Pierre – teve aquele momento de íntima eclosão mental, indescritível em sua totalidade instantânea, que lhe revelou a hipótese da Esfinge como fórmula do homem, os resultados foram tanto imediatos como a longo prazo.

Imediatos: uma sensação de apaixonada euforia, de energia acumulada a empregar construtivamente.

A longo prazo: anos de pesquisa, confirmações através de comparações de dados talmúdicos, tântricos, persas e mil coisas deste tipo, a aprovação *cum laude* da tese (SORBONNE, 1972).

Quando o outro autor – o Roland – teve semelhante eclosão mental a respeito da potencialização estrutural da atração amorosa, os resultados imediatos foram idênticos – uma satisfação indescritível (e uma semana de alegre insônia!). Quanto aos resultados a longo prazo é cedo demais para se dizer, porque é uma pessoa muito dispersiva, dessas que ficam felizes quando disparam setas energéticas em todas as direções...

A DESCOBERTA DE AMOR

Caberá, assim, ao *EU* do leitor descobrir quando esta crescente potencialização energética, à medida que for aumentando de expoente numérico, passe a merecer, *DA PARTE* do seu *EU*, o nome de *AMOR!*

É coisa muito pessoal.

José diz: – *AMO* a minha coleção de selos!

Maria comenta: – José mostra *INTERESSE* pelos selos!

E Antônio decide: – Selos são o *PASSATEMPO* de José!

Selos? Meros objetos! Está bem, leitor, e o acasalamento extático de dois parceiros amorosos, na sua própria opinião, e na dos outros?

"AMOR?"

"INTERESSE?

PASSATEMPO?

Para que a classificação fosse justa, talvez seria preciso verificar onde as setas energéticas batem nos alvos, em ambos os parceiros. E testar cientificamente, objetivamente, milhares de casais; contar mais setas do que já foram disparadas por todos os índios de Hollywood e conseguir respostas francas sobre o que *eles* chamam suas uniões!

Teríamos verdades estatísticas sobre o sentido semântico das palavras Amor, Interesse e Passatempo, mas que nem por isso levariam a garantia de serem aceitas emotivamente pelo José dos selos. Como já dizia Shakespeare: "Palavras, Palavras, Palavras"!

Vamos tentar uma solução prática; uma solução que inclusive nos ajudará muito na percepção direta de toda aquela linguagem corporal esboçada no nosso vocabulário.

Então, voltemos à nossa seta da energia:

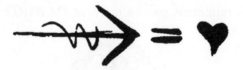

Estamos mostrando que dizer "a ponta da seta" é equivalente a dizer "alvo que ela *ama*", ou "quer se fixar". Ou "ponto visado pela Energia" igual a "ponto de impacto alcançado".

Ou em tradução menos rígida: "*Ponta de Seta*" diz "*Eu gosto*" (ou aprecio, quero, desejo, aprovo, amo, me sinto bem, atraído etc.). Mil sinônimos possíveis, questão de INTENSIDADE, apenas.

Logo,

quer dizer: "Gosto disso". Ou simplesmente:

Então temos por exemplo:

Uma única ponta de seta.

$(\rightarrowtail\heartsuit)^1$

A ama B. Será isto Amor?

Está bem, o boi não está sozinho; faltou contar as setas internas. Vamos lá:

A "ama" B elevado à terceira potência (A ama B)³. Será isto amor?

Três pontas de seta.

$(\rightarrowtail\heartsuit)^3$

Afinal, são três pontos de impacto de Energia! Que acha o leitor?

Consulte a *LINGUAGEM DO CORPO* dos dois parceiros, no desenho! Que tal o título "Desejo unilateral"? É a palavra exata!

As setas internas da mulher não contam, evidentemente, na soma. No exemplo, é claro que há seis pontos – harmonia total, mas pessoal e intransferível; os três "bichos" concordam em gritar a mesma atitude de *não união*.

É o *MURO* psicológico

da rejeição manifestada pela mulher. Ainda que existam, os seis pontos dela seriam um subtotal impossível de *unir* aos do parceiro. Lembre-se dos três energemas "não" da p. 36!

Então, para que palavras como Ternura, Amizade, Amor maternal e similares encontrem o seu correspondente na fala

do corpo, parece que é uma questão de número de pontos de ligação, de preferência em *"love-back"* (diríamos, em português, "amor – de volta", ou "reflexo aprobatório"); mais *intensidade* (no nível de origem ou sublimados!).

Amor maternal assim pode alcançar 30 pontos, só que na área do boi a ligação do prazer mútuo do contato apresenta um fluxo suave e muito tranquilo de energia. – A voltagem é bem menos intensa do que aquela violenta do ato genital com o seu curto-circuito final, é o que talvez diria um eletricista! Observe o *EU* do tórax curvado para dentro, e as duas curvas, como um par de parênteses, incluindo-se uma à outra. Cada *Eu* se identifica com o seu parceiro, o maternal protegendo o filial.

Bem, isto afinal não é um livro sobre o Amor; se o leitor agora já percebeu que nos desenhos anteriores do vocabulário também é possível perceber pontos de impacto energético, nossa finalidade foi cumprida.

Então, águia e leão do nosso bom José dos Selos não podem dar mais de oito pontos: Temos o leão – Vida Emocional – contente, o boi – Vida Vegetativa – feliz (com o sossego, a poltrona macia e um bom jantar para digerir; selo boi não come), e somente a águia e o leão, além de dar e receber harmonia interna, lançam um fluxo "amoroso" energético para fora, em direção ao selo.

Este emite uma imagem visual de volta, mas isto seria uma seta diferente, *SEM A COBRINHA*, assunto já ultrapassado após os capítulos iniciais. Energia vital do Selo para José é que não: Selo não dá *feedback*, é inerte.

Cerveja também não emite, obviamente, *feedback* vital, mas boi bebe. Logo, felicidade material dá no máximo nove pontos! Conte-os no desenho! (Ainda serão nove no último copo, mas a voltagem vai caindo, e aí é melhor chamar isso de contentamento ou satisfação).

Essas ligações energéticas é que dão "vida" aos gestos da linguagem do corpo – como a tudo mais no universo. Peguemos uma molécula de água (H_2O, ou seja, dois átomos de hidrogênio e um de oxigênio):

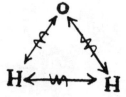

e temos seis pontos indiscutíveis!

Ou seja:

$$\left(\rightsquigarrow \heartsuit \right)^6$$

Tal qual o homem! Isto, se ambos estão em estado de paz interior, ou seja, em equilíbrio, "tudo bem". E "tudo bem" será por nós percebido nas atitudes!

Nos conflitos internos muito intensos, quando os "bichos" da "esfinge" já não se comunicam mais, o Homem entra até em "estado de choque", desintegrando a personalidade. E isto fica extremamente nítido na linguagem do corpo dos casos patológicos extremos.

Como na forma molécula de água – é com o choque elétrico que podemos desintegrar-lhe a estrutura equilibrada; sai hidrogênio para um lado e oxigênio para o outro!

AMOR À PROFISSÃO
PODE SALTAR AOS OLHOS

Podemos observar isso muito bem na competência profissional.

O homem que descobriu sua vocação mostra-o em linguagem do corpo, nas suas atitudes de *bom ânimo, atenção, descontração, ritmo energicamente produtivo de gestos precisos sem desperdício de energia* do indivíduo contente consigo mesmo, e *pouco ligando se o expediente já acabou!*

O que está na profissão errada expressará ao observador atento, em linguagem do corpo, *o desânimo, a atenção diminuída, a tensão, os gestos imprecisos, desperdiçando Energia*, do indivíduo descontente consigo próprio, e que está *sempre preocupado com a hora da saída.*

Se, a esta altura, o amigo leitor já se treinou bastante na nossa matéria em estudo (o vocabulário é para ser *usado* diariamente e não só para ser apreciado pela leitura!), poderá sem muita dificuldade perceber isso em torno de si e até em si próprio.

Seu professor, seu filho, seus chefes, colegas ou subordinados; a datilógrafa daquele escritório do terceiro andar ou a garçonete que lhe serve o sorvete – ali você perceberá decerto alguma coisa!

Claro que, na suspeita de profissão errada, é preciso observar as mesmas pessoas fora do ambiente profissional.

Se os sintomas de *desânimo, atenção diminuída* etc, sumirem lá fora, pode ser profissão errada (Poderia ser também um conflito interno proveniente de outras causas, psíquicas ou até mesmo físicas).

Mas, se temos aqueles sintomas da vocação certa mostrando que gosta do que faz, pode apostar que você, por percepção direta, está vendo alguém que *ama* sua profissão!

Bem, lembre-se que você ainda não tem assim *tanta* prática e aposte pouquinho! Talvez seja apenas alguém que está assim contente porque acabou de conhecer o amor!

Capítulo 15
FRONTEIRAS INVISÍVEIS

Você talvez não espera o que será revelado neste capítulo: o seu eu não é limitado pela sua pele; as fronteiras do seu corpo são invisíveis. – Você vai conhecê-las agora.

Qual é o limite do nosso *EU*? Freud, em *Eu e o Id*, disse que nossa pele era o limite entre o ego e o mundo exterior.

É melhor conceber esta nossa periferia física como apenas um limite descritivo do universo, ou melhor, entre o universo do lado de fora e do lado de dentro de nós. Nosso *EU inclui* o exterior.

Vejamos: a solidão, dentro de nós, sem contato com o exterior, é terrível. Quem quer ser Helen Keller, a famosa cega surdo-muda?

Não precisamos ir tão longe – quem quer ficar numa ilha deserta, mas deserta mesmo?

Há horas que é tão bom uma invasãozinha do nosso território!

E outras horas há, em que a mera invasão de nossas águas territoriais já é um aborrecimento dos maiores; queremos

um certo espaço entre nós e os estranhos. Então percebemos que

O TERRITÓRIO FAZ PARTE DO "EU"

E o espaço pessoal e social. Podemos definir isso assim:

> A territorialidade regula a densidade das espécies de seres vivos – ou seja, a distância ideal entre os seus componentes individuais, para as diversas manifestações da vida em comum.

No reino animal, a territorialidade apresenta muitas funções vitais, desde os reflexos necessários para se esconder do inimigo até surpreender a presa, comunicar-se ou reproduzir a espécie. Em suma, mantém o grupo coeso, e por isso vivo.

O espaço social e pessoal humano, e a nossa percepção do mesmo, é assunto de um conjunto de observações e teorias da nossa ciência que Edward Hall, um dos seus notáveis pioneiros, batizou de *proxemics* em inglês; é ciência tão recente que ainda não há palavra simples, corrente em nossa língua, que lhe traduza o sentido.

Esta "ciência das distâncias" condiz perfeitamente com o princípio geral que já estudamos, e que é básico para compreendermos a linguagem do nosso corpo:

Só podemos estar livres de estresse quando *cada atitude psíquica nossa* é acompanhada da sua correspondente *atitude física ideal*.

E esta última *inclui a distância ideal* entre nós e os outros!

Queremos estar *próximos* do copo, do livro ou da boca da pessoa amada, quando temos sede de beber, saber ou amar. Nossa tensão aumenta progressivamente ao longo do eixo-tempo enquanto a distância nos separa do que queremos.

Ficamos perturbados, tensos – não estamos mais em paz com os componentes da soma interna dos seis pontos, que estudamos no capítulo anterior.

Assim como queremos *diminuir* distâncias, quando a isto nos impele o desejo do momento *(consciente ou não!)*, também desejamos *aumentar* essas distâncias quando outros sentimentos nos dominam.

Queremos estar *distantes* do copo, do livro ou da boca da pessoa amada, quando estamos fartos de beber, de saber ou de amar (ou quando outra emoção mais poderosa toma conta de nós).

E nossa tensão aumenta progressivamente ao longo do eixo-tempo, enquanto não conseguimos *distanciar-nos* do que *não* queremos mais! Ficamos perturbados, tensos – não estamos mais em paz; não dispomos dos nossos seis pontos...

RESSENSIBILIZAÇÃO AO ÓBVIO SIMPLES

Que o paciente leitor nos perdoe o trecho acima que até parece um microfestival de literatura do "óbvio uivante"!

Mas – que fazer? E a própria estrutura básica da linguagem do corpo humano que é de um óbvio insistente, tal a sua simplicidade! Então acontece que o leitor apenas se ressensibiliza conscientemente. Redescobre conosco fatos que logo percebe serem-lhe extremamente familiares. Logo a seguir, reencontra estas atitudes ao observar a si próprio e os outros, *mesmo nos menores gestos!*

E O ÓBVIO NÃO TÃO SIMPLES?

Já aprendemos a chamá-lo de semantema discordante no capítulo 12. É a linguagem dos conflitos entre emoções, dentro do mesmo indivíduo. Trata-se de atitudes psicofísicas típicas de nossa cultura, e que aparecem inconscientemente nas manifestações de invasão do território pessoal.

O cavalheiro b) sorri hipocritamente para o insistente cavalheiro c) que lhe está invadindo o território físico e mental.

Mas o cotovelo esquerdo de b) diz: "quero distância de você!" Seu braço direito diz: "estou interessado na pessoa a)". E tem mais: a perna direita de b) – a "da razão" – cruza por *cima* da esquerda – a da emoção – prendendo a ação emotiva de locomover-se de acordo com o seu desejo do momento. E ambas, estando cruzadas, apenas repetem o gesto de dobrar os braços sobre o peito (já tão nosso conhecido), que o cavalheiro b) havia executado (também inconscientemente) momentos antes, ao dar-se conta da sua repulsa ante a invasão de c).

Cenas desse gênero se repetem constantemente; há invasões de territórios por toda parte. Estados invadem Estados, terroristas invadem aviões, um ônibus acaba de invadir a mala do nosso fusca e a televisão invade a nossa águia, hipnotiza nosso leão e imobiliza nosso boi diante do seu ralo mingau de banalidades primárias e violências tão a gosto das multidões.

Por que essas invasões?

Porque nossa cultura tem uma característica dominante, tão constante que até a podemos chamar de

A CULTURA DA LEI DO MAIS FORTE

Não menosprezamos as legítimas conquistas do Homem no domínio dos chamados Direitos Naturais. Existem. Mas que diferença houve entre Cartago destruída, Coventry arrasada, ou as ruínas de An Loc, no Vietnã (onde, dizem, umas seis casas sobraram da cidade inteira, só que sem telhados)? Para as vítimas, nenhuma!

A diferença está apenas nas datas em que foram invadidas pela Lei do mais forte...

O PODER EM BUSCA DO BEM

Mas não precisamos ir aos exemplos que tenham resultados tristes. Mesmo nos empreendimentos que nos trazem os mais

indiscutíveis benefícios, sempre há o poder coercitivo do mais forte, que de alguma forma impõe ou persuade aos demais a fazer-lhe a vontade, a alcançar-lhe os objetivos. E se lhe tirássemos o verniz social, teríamos o caos, a anarquia – e a mesma Lei do mais forte, muito mais brutal. A Espada da Justiça é a defesa imprescindível da sua Balança. Garante a Ordem.

A alternativa oposta? Seria a

união voluntária por entusiástico apreço mútuo – tanto o apreço interpessoal como o de objetivos em comum.

Belo, mas raro – alguns casais, alguns grupos pequenos de trabalho aqui e acolá.

Porque, em vez de generalização, exige discernimento. E amor.

O PODER COM DISCERNIMENTO

O poder em si não é um mal – é justo e desejável que a sirene da ambulância e dos bombeiros nos invada o território do nosso carrinho de passeio e nos faça ceder-lhe passagem – mas é apenas um exemplo do bom discernimento que acima citamos.

Já sabemos que o homem é o único animal tão agressivo que mata deliberadamente os da sua própria espécie, e a ciência ainda busca em vão uma explicação para essa exceção. Homens eminentes que dedicaram o máximo dos seus esforços defendem as hipóteses mais diversas. Assim, Robert Ardrey indaga do nosso passado pré-histórico de caçadores que favorecia os mais aptos a derramar sangue; Desmond Morris aponta as imposições civilizadas que nos frustram os instintos, enquanto Konrad Lorenz examina o declínio dos instintos primitivos que outrora teriam inibido nossa agressividade. E Tiago Menor, na sua Epístola Universal, cap. 4, simplesmente nos aponta o hedonismo que nos torna demasiadamente complacentes com nós mesmos.

Seja como for, somos agressivos como espécie. E como indivíduos? Invadimos mutuamente nossos territórios; então vamos procurar discernir isso de forma prática, e dentro do nosso tema.

EXPERIMENTE DISCERNIR TERRITÓRIOS

Tente, você mesmo, pesquisar isso um pouco – uma experiência pessoal vale por mil palavras! Por exemplo: Sente-se à mesa, defronte de alguém. Você, e seu oponente, têm tarefas individuais a executar; então cada um tem, digamos, cadernos, blocos, livros de consulta, pois vocês vão estudar matérias diferentes, para que ele não queira prestar atenção consciente a você.

Também pode ser uma refeição – você simplesmente se acomoda à mesa de um estranho, num restaurante superlotado qualquer.

Você é *a)*, com seus objetivos *a)*. A linha pontilhada (imaginária) representa o limite normal entre seu território e o do seu oponente *b)* com seus pertences *b)*.

Após alguns minutos, comece a experimentar a lei do mais forte, e

"distraidamente", pouco a pouco, invada o território dele com *seus* objetos. Faça isso de modo que ele, absorto na sua própria atividade, nada perceba conscientemente.

Chegará a ocasião em que, digamos, seu maço de cigarros esteja tão próximo do caminho usualmente percorrido pelas mãos e braços de *b)*, que este reagirá. Embora continue "desligado", imerso em seus próprios pensamentos (ou com a atenção voltada para uma troca neutra de palavras com você), irá empurrar o objeto invasor de volta, através da linha divisória.

Se você se conduzir com habilidade, esta reação do seu oponente será inconsciente. E você acaba de determinar o tamanho de um território individual.

Mas você obteve apenas uma medida estática de acordo com as circunstâncias do momento. Meio tempo de mesa, para ser exato.

Os arquitetos – esses gênios frustrados que se veem obrigados a produzir "conjugados com quitinete" porque dificilmente lhes encomendam pesquisas de espaço humano – têm de conformar-se em lançar mão de extensas compilações de "Territórios" humanos, tabelados por autoridades como Neufert e Corbusier. Então podem ficar sabendo quantos centímetros cúbicos devem ser ocupados por um homem sentado à escrivaninha, por um garçom conduzindo uma bandeja, ou por duas pessoas cruzando-se ao atravessar uma porta.

Soluções estáticas e generalizadas. Que, por isso mesmo, não agradam a ninguém em particular – é a impessoalidade fria e correta dos quartos de hotel e dos grandes escritórios na sua rigidez modulada de "ruído de fundo" monotonamente repetido.

Observe a reação, pela linguagem dos objetos: Você coloca o *seu* cinzeiro *diferente* na *sua* mesa, marcando o *seu* território naquele escritório. É uma forma inconsciente de tentar identificar o seu *Eu*. Experimente chegar antes do início do expediente e trocar os personalizados cinzeiros, porta-lápis, pesos de papéis ou objetos similares de duas mesas contíguas!

A observação das reações cinésicas e verbais (em semantemas perfeitamente harmônicos e nítidos) dos donos dos objetos será decerto muito instrutivo para o seu estudo dos gestos humanos...

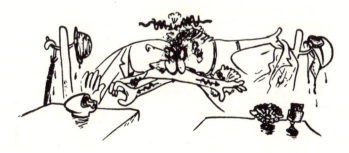

TERRITÓRIO NÃO TEM LIMITES RÍGIDOS

Lembra-se dos desenhos de Romeu e Julieta, no início deste capítulo? Nosso herói quis, em dadas circunstâncias, distância *mínima* em relação àquele balcão. Mudando o contexto, preferiu distância *máxima* entre o território dos Capuletos e sua própria pele.

Considere, então, sua experiência da mesa com um ocupante que lhe seja pessoalmente desconhecido, mas dentro de um contexto diferente: um restaurante quase vazio.

Que acontece, se você resolve ocupar um lugar à mesa dele? Ele tomará uma atitude de defesa ou de contra-ataque. Ou puxará os seus objetos para mais junto de si, ou poderá chegar à agressão, verbal ou pior (Lembre-se: todo encontro social cria tensão).

De qualquer maneira, já o território a defender não é mais do tamanho de meia mesa – na nossa cultura da lei do mais forte, até a mera ocupação da mesa vizinha já será um ato gerador de tensão momentânea; é possível ameaça ao ato de sobrevivência que é o alimentar-se!

Repare, leitor, que nós escrevemos "Considere...", e não "Faça..." essa experiência. Quando este texto ainda estava em fase de teste, um membro do nosso grupo (alto, forte e impulsivo) quis surpreender-nos com uma pesquisa estatística das reações encontradas e saiu em campo, sentando-se à mesa de desconhecidos. Por azar dele, um dos cavalheiros testados era o gerente geral de crédito de um banco no qual nosso amigo pretendia obter um financiamento – o que este apenas descobriu no dia seguinte, ao penetrar-lhe outro território – desta vez, o imponente gabinete do banco!

Pois é; todo encontro humano resulta em interação mútua emocional. Até o momento de imprimir-se estas páginas, ainda não houve aquele financiamento...

EXPERIMENTE MEDIR TERRITÓRIOS!

Você está no saguão de um edifício, impacientemente aguardando o esvaziamento do elevador superlotado que acaba de descer.

Como essa gente demora a sair!

Você gostaria que aquela massa compacta saísse "em bloco", de uma só vez. Em termos mais técnicos: que, desembarcando, manteria aquela territorialidade densa, desocupando rapidamente o elevador que você quer tomar!

Nada disso! Os passageiros *a)* e *b)* já recuperaram o domínio do seu território. O cavalheiro *c)* já começa a andar, pois sentiu-se satisfeito com o que percebeu à sua frente: a *recuperação da parte dianteira* do seu espaço pessoal.

Enquanto isso – e o tempo vai passando para desgosto de quem espera do lado de fora – o passageiro *d)*, ainda *dentro* da área de invasão mútua forçada, *não dará o primeiro passo*, enquanto não perceber o reaparecimento do *seu próprio* território dianteiro! Reexamine o desenho da página 231!

E você, leitor? Percebeu como você agora pode notar – e medir – *conscientemente* os limites das "águas territoriais humanas", tanto suas como as dos outros?

FATORES BÁSICOS
DA TERRITORIALIDADE HUMANA

Pessoas em busca de (ou sujeitos a) *intimidade (interação total)* cedem seus "direitos territoriais".

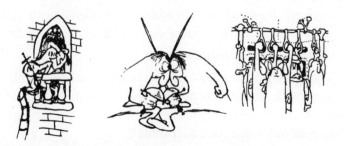

Seja para abraçarem-se amorosamente ou para brigar – é a distância que vai de zero a poucos palmos, e que é menor do que o *território neutro*, ou *pessoal*, do indivíduo sem interação com outros.

Este provavelmente evoluiu da percepção da segurança pessoal que consiste em manter uma distância mínima para esquivar-se de um ataque súbito do vizinho. É fácil observar isto, por exemplo, em pássaros enfileirados num fio de telefone.

A distância *social*, ou de *interação* com *reservas* (em oposição à interação total, íntima), oscila bastante, não só pelo grau variável do estado emocional que modifica a reserva mas também conforme a tradição cultural na qual cada sociedade fixou seus hábitos de comportamento em grupo.

Os da *sua sociedade*, o leitor conhece. É acompanhada dos *gestos convencionais*, tais como a diferença entre saudar seu cônjuge, um estranho ou a Bandeira Nacional; que roupas ostentar, em que local e ocasião; com quais utensílios levar que alimentos à boca etc. Tem seu valor de aceitação (logo, de sobrevivência). Tudo isso é incrivelmente variado. Por exemplo, a distância entre gente na fila

é diferente entre, digamos, uma cidade pequena do interior dos Estados Unidos e uma metrópole latina como o Rio de Janeiro. Esta distância social cresce até confundir-se com a *distância formal* ou *cerimonial* (orador – audiência; sacerdote – fiéis, chefe de Estado – povo etc.), também evidentemente variável nos moldes da anterior.

Para quem quiser aprofundar-se mais nesta questão de território que constitui uma das dimensões-chave de nossa vida social, recomendamos a leitura de *The Silent Language* (Fawcett Publications, Inc.) e *The Hidden Dimension* (Doubleday and Co., U.S.A.) de Edward Hall, e *Personal Space* (Prentice-Hall Inc. U.S.A.), de Robert Sommer. Obras pioneiras de rigorosa análise científica, de texto claro e fascinante, podemos confirmar-lhes plenamente o conteúdo até o alcance permitido pelas nossas modestas observações pessoais em várias partes das Américas, da Europa e da Ásia.

OS LIMITES E VOCÊ

Bem, cremos ter dado uma noção sucinta dos limites do nosso *EU*. Daqui em diante é com você – observe e aplique suas novas noções de territorialidade.

Você poderá até se espantar com a nitidez com que passará a perceber a função das distâncias. Verá um olhar neutro se transformar em alerta, dedos inertes começar nervosamente a bulir com objetos, ou um corpo inteiro enrijecer sutilmente ante uma diferença de meio passo a menos de distância. E saberá que outro meio passo adiante irá trazer uma intensificação ainda mais nítida de antagonismo.

Ou, pelo contrário, notará os sinais de aceitação, e como se tornarão mais nítidos à menor distância. Se em algum ponto da aproximação pessoal cessarem de se mostrar, também isto será entendido por você – como o *novo* limite daquele momento.

Isto tudo, tanto na *sua* interação pessoal como entre terceiros! E, desta vez, nem precisamos recomendar que use de consideração, de tato, quando *você* estiver conscientemente em jogo. E o último "óbvio" deste capítulo: você, exatamente por perceber tudo isso, saberá, melhor do que ninguém, conduzir-se com um acerto invejável.

Para ajudar o leitor a fixar melhor suas novas noções dos limites do *EU* – tanto do seu próprio como o dos outros – veremos, nas páginas a seguir, mais alguns desenhos de semantemas no gênero das ilustrações do "vocabulário" do capítulo 12.

INVASÃO
DE TERRITÓRIO – 1
(UMA SEQUÊNCIA DE...)

Todos os energemas dos desenhos deste livro foram deliberadamente observados, registrados e classificados durante um mínimo de cinco anos. Notamos-lhe o reaparecimento constante em dadas circunstâncias, e vimos que ora eram gestos intensos, amplos e de duração suficiente para uma fácil percepção, ora eram fracos, milimétricos e desapareciam numa fração de segundo. Questão, evidentemente, do contexto de cada observação.

Por isso, ao representarmos em desenhos extremamente simplificados os semantemas que o leitor já absorveu, os colocamos sempre em contexto muito nítido. O que nem sempre acontece no dia a dia real, com sua quantidade fantástica de comunicações internas e externas de cada instante. Mas há sempre situações claras a observar.

Como esta acima, que se desenrolou ante nossos olhos. Demorou OITO SEGUNDOS – durante todo esse tempo o marceneiro ficou na atitude do desenho. Quinze pessoas estavam presentes naquele escritório; oito se recordavam de tê-lo visto sentar-se no tampo da mesa, quando isto lhes foi perguntado CINCO MINUTOS DEPOIS, e nenhuma havia percebido os demais energemas...

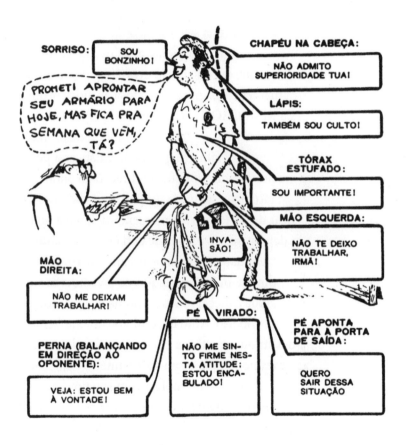

INVASÃO
DE TERRITÓRIO – 2
(FINAL DA SEQUÊNCIA)

Esta é a cena seguinte à do desenho anterior. Imediatamente após os oito segundos que durou aquela invasão, o nosso amigo marceneiro, ante a silenciosa atitude corporal da REJEIÇÃO TOTAL por parte do seu cliente, "mudou de *atitude*".

Primeiro, parou de balançar a perna provocadoramente em direção ao oponente, tão logo este havia girado a sua cadeira para ficar de costas para o marceneiro. Logo a seguir deixou-se escorregar de cima da escrivaninha, enquanto simultaneamente libertou a mão direita, pois a sua esquerda levantou-se até a sua cabeça, retirou a boina e a guardou no bolso. Ainda, simultaneamente, seu *ego* desinflou-se: o tórax curvou-se para dentro. Ao mesmo tempo, o seu corpo inteiro começou a dobrar-se de acordo com sua nova atitude mental, até ficar como mostra o desenho da página 239. O início da ação de dobrar o corpo coincidiu com o início da sua mensagem verbal – "*Vou ver se...*"; ao pronunciar-lhe as últimas palavras – "...tá bem assim, chefe?" eis que as suas mãos entrelaçaram os dedos em atitude precária! Tudo isso levou SEIS SEGUNDOS.

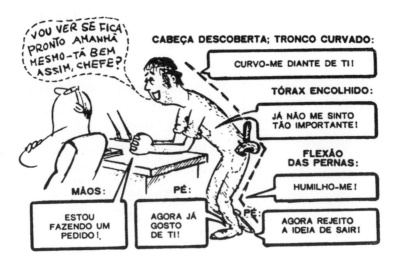

Das oito pessoas que, entrevistadas cinco minutos depois e que se recordavam da atitude mais insólita do desenho anterior, NENHUMA registrou conscientemente na memória o que se desenrolou nos seis segundos acima descritos – apenas um dos autores que se achava presente registrou ambos os semantemas nos seus detalhes aqui reproduzidos. Contexto: O marceneiro vinha trabalhando há quatro semanas em instalações de paredes divisórias e armários naquele ambiente; pessoa alegre e extrovertida, embora ocasionalmente "abusada", a sua presença e atitudes já não chamavam a atenção do grupo, no qual gozava de aceitação parcial. No desenho seguinte, veremos uma característica de uma situação de aceitação mais íntima: um grupo de amigos.

GRUPO
(UNIÃO AMISTOSA EM...)

Este semantema que, aliás, podemos chamar de SEMANTEMA HARMÔNICO GRUPAL, é fácil de ser observado. Permanece durante tempo bastante longo e, para que se manifeste claramente, basta o contexto seguinte: sofás ou bancos compridos, ou cadeiras e poltronas fáceis de serem deslocados; um ambiente alegre, descontraído de reunião social mais ou menos prolongada e a presença de diversos GRUPOS DISTINTOS, de pessoas mais ligadas entre si do que com os demais grupos presentes. No início, permanecerão mais estreitamente agrupados os que já trazem este hábito anterior; à medida que a festa prossegue, podem formar-se novos agrupamentos causados por novas simpatias, descobertas de interesses.

em comum etc. Mas SEMPRE se pode notar isso pelas atitudes corporais. Observe os limites de cada grupo! O desenho acima mostra como determiná-los – são as pernas cruzadas com o pé apontando para DENTRO do grupo amigo, das pessoas nas duas extremidades dos mesmos. DENTRO destes limites, os territórios pessoais se fundem SEMPRE. No desenho seguinte, uma história em três cenas sucessivas: a fusão de dois territórios pessoais de maneira um tanto violenta. Observamo-la em todos os energemas do desenho; levou menos de dois minutos da primeira à última cena e resultou numa troca inesperada de liderança!

INVASÃO
DE TERRITÓRIO
(COM TROCA INCONSCIENTE DE LIDERANÇA)

No homem apaixonado que aqui observamos, a energia está localizada no nível do leão. Mas quando a mulher "cedeu" subitamente, foi ELA que mostrou querer dominá--lo – quando, na realidade, ela própria estava sendo dominada pelo súbito despertar do boi dela mesma. Até onde podemos dominar essas nossas atitudes corporais? Esta pergunta merece, no mínimo, um capítulo inteiro. É o assunto do capítulo seguinte.

Capítulo 16
PODEMOS DOMINAR A LINGUAGEM DO NOSSO CORPO?

A plena consciência. – O homem não consegue esconder sua linguagem inconsciente de um observador avisado... e nem mesmo dele mesmo!

HOMEM CONSCIENTE

Dissemos no final do capítulo anterior que você até poderia ficar espantado com a nitidez da sua nova percepção consciente.

O leitor, após aquela leitura, praticou um pouco. Olhou *conscientemente* o que se passava ao seu redor.

Então sem dúvida percebeu com clareza certas intenções emotivas nas interações praticadas diante de seus olhos.

Essa percepção foi contínua?

Não!

Acontecia intermitentemente. As vezes você as percebia plenamente,

outras vezes,
em situação
idêntica, você
    apenas
        notava

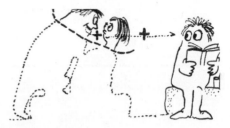

as expressões superficiais de sempre.

Na situação acima: ora *apenas o energema* treinado do sorriso social, ora a *revelação por inteiro do morfema* na sua totalidade discordante.

No entanto, a emissão destas mensagens dos corpos humanos CONTINUA ININTERRUPTAMENTE diante de seus olhos. E a razão disto é tão importante que merece esse destaque:

> O HOMEM NÃO CONSEGUE DOMINAR A LINGUAGEM INCONSCIENTE DO SEU CORPO!

E por que não?

> POR QUE ELE NÃO VAI ALÉM DO ESTÁDIO 4 DA SUA POSSÍVEL EVOLUÇÃO!

As exceções à regra são tão raras, que em nada influem na abundância das mensagens dos corpos à nossa volta.

Para o leitor familiarizado com a psicologia da possível evolução do Homem, tal como a encara Cuspensky, isto não constitui surpresa. Simplifique-se o conceito ouspenskiano dentro dos parâmetros da nossa esfinge, e, por mera extrapolação lógica, a escala surge como exporemos adiante.

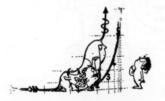

Vamos resumir e comentar esses estádios, e uma porção de coisas interessantes vão acontecer com você:

248

1. Você não vai *resistir* ao desejo de identificar o seu próprio estádio evolutivo.

Isto será perfeitamente possível, e até quase imediato, mesmo se você estiver no estádio 1 (repare no verbo resistir: é típico deste estádio do homem).

* * *

2. Você se *sentirá* tentado a identificar o estádio alcançado por outros.

Este seu desejo de comparação é, aliás, inerente ao próprio estádio 2. Contudo, enquanto ali permanecer, os resultados que você obterá não terão base sólida (o verbo sentir é palavra-chave do n. 2).

* * *

3. Você *aprenderá* que o êxito das suas tentativas do item anterior dependerá do grau alcançado nesta escala. Agora, os resultados das suas classificações dos outros em graus começam a merecer confiança (aprender, ainda que com pobreza de dimensões, é característica do n. 3).

* * *

4. Você *saberá* o porquê da impossibilidade geral de repressão da linguagem corporal inconsciente. O orgulho só dura até o n. 3; é típico do sábio que "sabe que sabe" (Saber é verbo-chave do estádio 4, no sentido do sábio que é mais sábio porque "sabe que não sabe", então a verdadeira modéstia começa humildemente no n. 4).

* * *

5. Você vai *perceber* por que não "ouve" continuamente a "fala" do seu próprio corpo – quanto mais a dos outros.

A percepção é o núcleo do número 5 (Aviso ao leitor assustado: isto não quer dizer que é preciso haver alcançado esse estádio de forma permanente para ter seus momentos passageiros de percepção direta consciente).

* * *

6. Você poderá, talvez, alcançar um momento de plena consciência objetiva de como, em teoria, sentir-se diante da possibilidade de *percepção direta consciente e contínua*, sem ser abalado na sua essência pelo observado.

Desculpe a aparência intricada do que você leu; estamos torturando-o com ferramentas de pensamentos chamadas "palavras". São de carpinteiro, e as usamos em cirurgia de vivissecção de um pensamento! Note, por favor, que, na fase 6, a percepção acima descrita não precisa de "palavras".

* * *

7. Por uma espécie indescritível de discernimento intuitivo, "Einsehen", *insight*, ou como queira rotulá-lo, é *possível* que você consiga ter uma ideia distante, capaz de vislumbrar o estádio 7.

ESTÁDIO 1

O número 1 é o que podemos chamar de "o homem-boi". Nele, a satisfação dos instintos prepondera.

Antes que o leitor se apresse a sorrir com superioridade: número 1 não é só o "comilão", o "farrista" ou o "brigão", que o homem n. 2 ou 3 assim classifica com desdém ante tal desequilíbrio malsão de personalidade.

Um belo espécime de atleta ou silvícola é um perfeito boi "adulto". Só que, ao contrário do "comilão" etc. ainda não vive em conflito interno com seus outros "animais" de filogênese mais recente. Estes ainda respeitam seu irmão mais velho. Seus problemas são de inadaptação a "alvos fixos".

ESTÁDIO 2

O número 2 é o "homem-leão". O *EU* vem em primeiro lugar. É emocional, vive em busca da afirmação da sua identidade e procura estabelecer por comparação com os outros.

Manuseia avidamente seu fichário interior, sentindo ora intensa alegria, ora profundo desespero. Já o conhecemos bem das páginas anteriores.

ESTÁDIO 3

O número 3 é o "homem-águia". Nele manda a razão. O pensamento na sua opinião é superior ao sentimento, e este melhor que os instintos. O que até certo ponto é indiscutível.

Mas pensa que o morador de cima é superior ao de baixo, e ambos se julgam melhores do que aquele coproprietário encarregado do prédio, lá no porão.

Não respeitam o irmão mais velho.

A rara harmonia plena e intensa entre os três inconscientes é sempre de curta duração; normalmente dão-se mal, e cada qual manifesta isso *livremente* pela lei do que for mais forte em dado momento.

Essa é a explicação do porquê de a linguagem do corpo manifestar-se de forma irreprimível! Eis, talvez, um argumento a favor de S. Tiago (... de onde vêm as guerras e pelejas entre nós? Porventura não vêm das vossas preferências que nos vossos membros guerreiam?). O que caracteriza os indivíduos é por isso mesmo típico da coletividade.

Lembre-se que nesta linguagem psicofisiológica é comum DOIS "bichos" liderarem o *movimento* cinésico contra um terceiro (semantemas discordantes). Ser minoria, conforme o contexto daquele instante, acontece a qualquer um dos três.

Temos então algo assim como uma democracia sem constituição, um reinado sem imperador, uma ciência sem método ou um organograma sem chefe!

Não há ninguém à *TESTA* do negócio?

E você, leitor? No mínimo, você é estádio 4 – pelo menos, durante o tempo que lê e pondera estas questões (Fora destas páginas, você é quem sabe...). Você já vai por quê!

Mas você, como nós, não é perfeito, não é? Então:

> GASTANDO ENERGIA NOS NOSSOS USUAIS CONFLITOS INTERNOS INCONSCIENTES, ESTA NOS FALTA (EM PROPORÇÃO À INTENSIDADE E/OU FREQUÊNCIA DESTES CONFLITOS), AO DESEJARMOS OBSERVAR OS MESMOS FENÔMENOS NOS OUTROS!

Trocando em miúdos, vamos criar um provérbio?

"Não dá para fazer o retrato do boi do vizinho, quando o da gente faz os nossos fundilhos de alvo!"

A CABEÇA DA ESFINGE
ESTÁDIO 4

Durante incontáveis anos, a vida evoluiu lentamente do seu nível instintivo para o emotivo de memória mais recente, e só depois veio a luz da razão. Mas, como vimos, estes três estádios pouco realizaram de bom em termos de elevação, dada a sua desarmonia.

Daí, no nosso símbolo da esfinge, o novo significado da cabeça da mesma.

É o estádio 4. O homem começa a tomar consciência, *em separado*, da estrutura tripla da sua própria unidade.

Começa a saber que ele é mais do que um, dois, ou mesmo três bichos em desarmonia, desde que consiga ficar *à testa* deles. Desperta nele um *EU* diferente do mero colecionador sentimental de informações que é o leão.

O homem, neste estádio da sua evolução psicológica, já é realmente um pouco superior aos anteriores.

Tornou-se mais modesto, mais realista, e consequentemente muito mais inteligente.

Nem por isso ficou menos vital, menos amoroso ou menos intelectual. Mas, sobretudo, estará intensamente interessado em adquirir uma unidade mais harmônica – em potencializar harmonicamente a estrutura que acaba de perceber.

Este estádio tende a transformar-se sem mais delonga no

ESTÁDIO 5

No estádio 5, o homem, já com plena percepção consciente da ação e interação constantes do que, na prática, representa três "EUS" em conflito, tenta pôr o negócio em ordem.

Se notar que isto, em contato direto com os três indisciplinados, não dá resultado permanente (quem influencia um grupo, também é por ele influenciado!), talvez consiga evoluir até o

ESTÁDIO 6

Chefe tem que manter certa distância para ter plena consciência objetiva do que se faz, e do que deve ser feito.

Quem conseguir chefiar-se assim a si próprio a maior parte do tempo, alcançou o 6.

Percebendo a nossa própria harmonia (que é praticamente inexistente na nossa cultura atual), também a sua linguagem do corpo será de harmonia insuspeita. Terá extraordinário vigor controlado, pois a elevada porcentagem de energia vital desperdiçada nos Estádios inferiores agora fluirá no conjunto harmônico das suas atitudes.

ESTÁDIO 7

Um *EU* – "Cabeça de Esfinge" número 7 seria, por extrapolação lógica, inabalável. Sua vontade é livre e soberana. Controla alegremente seus três componentes internos como muito bem entende, sem o mais íntimo desperdício energético; por isso seu poder pessoal não é comparável ao do homem comum.

E não nos pergunte qual a sua linguagem corporal. Quem já viu pessoalmente um homem assim – se é que existe ou existiu – é favor ensiná-lo a nós!

UM PARALELISMO A COMPREENDER

Pedimos desculpa a todo leitor a quem isso deu a impressão que procuramos vestir uma fria estrutura progressiva do pensamento lógico com um manto de cálido misticismo.

Não é assim que fazemos ciência; respeitam-se as regras da busca do saber. Buscamos – isto sim – focalizar um possível paralelismo intuitivo.

Talvez tenha havido apenas isto: Homens inteligentes, de épocas ainda não descobertas do passado – possivelmente os mesmos que nos deram a esfinge – formularam doutrinas filosóficas. Como, por exemplo, essa escala progressiva, já então decerto observável de 1 a 4. E a coisa passou a ser encarada como dogma, ou crença ou fé etc., com o correr do tempo.

Tente o leitor convencer um silvícola tropical que uns cinquenta litros de água podem muito bem rachar-lhe a cabeça de um só golpe! Acreditará? Só se conseguir trazer-lhe uma pedra de gelo de cinquenta quilos.

Se o evento não se repetir, que probabilidade você calcula para que sua descrição seja aceita pelos bisnetos dele?

Por mais que cada pai ameace os filhos com penas eternas se duvidarem de sua palavra, ou a história terá que ser dogmatizada em crença à espera de uma segunda vinda do milagre, ou será considerada crendice indigna de merecer fé. Note-se: nesta comparação não discutimos se o "gelo", em si, é verdade. Apenas focalizamos o problema de aceitar a hipótese de sua existência por mera afirmação dogmática dela própria!

ESCALA ANTIGA COMO A ESFINGE?

Ora, não é inadmissível que essa escala evolutiva, justamente pela validez da sua lógica bem encadeada, já tenha sido formulada como hipótese em tempos muito remotos.

Vejamos – não é razoável que, então, a linguagem do corpo tenha sido melhor entendida? Afinal, *todos* os semantemas da mesma haviam precedido à invenção dos seus respectivos registros verbais. Primeiro a coisa, depois o rótulo.

O árabe do deserto não tinha paredes para se defender, então seu olhar decerto se firmava frontalmente sobre o estranho que ali se aproximava dele.

Certamente por isso considera até hoje, inconscientemente, uma ofensa o caminhar, ombro a ombro, do estrangeiro que, ao mesmo tempo, tente discutir um negócio com ele sem encará-lo de frente. Linguagem do corpo era forçosamente a palavra de ordem ao raiar a manhã da humanidade.

Então possivelmente o meditar de antigos filósofos enveredou pelo mesmo caminho de raciocínio em progressão linear da nossa escala. E, da decadência da sua cultura, apenas restou-nos o aspecto esotérico que, elevado a Dogma, nos fere por isso mesmo como distante da verdade pesquisável com os nossos recursos de hoje.

CHAVES PARA OS OUVIDOS DO HOMEM

Seja como for, uma Escala de Valores como esta é modelo indispensável para abrir mais e mais nossa capacidade de percepção direta consciente. Que, por sua vez, é o único "ouvido interno" que possuímos, para escutar realmente o que a vida nos diz. Esta se expressa mal pela tradução de meras palavras limitadas por gramáticas (e que, por isso, limitam os pensamentos neles baseados).

É preciso ouvir a vida na sua linguagem natural, que *nasceu* da própria percepção direta, para, só assim, sentir-lhe a riqueza e harmonia. A linguagem do seu próprio corpo!

Beethoven surdo, lendo sua própria partitura durante um concerto seu – eis o Homem!

EXPERIMENTE AGORA!

Esta linguagem silenciosa do corpo que muitas vezes contradiz a palavra falada mas diz a verdade nua e crua é, como você já deve ter percebido, completamente inconsciente.

Eis um exercício para comprovar isto; faça o exercício já, sem pensar:

Pare já na posição em que você está, sem modificar um gesto; agora observe onde está a sua perna direita, a sua perna esquerda, a sua mão direita, esquerda; a posição da sua cabeça; a direção do seu olhar; a sua boca está aberta ou fechada; você está sentado reto ou curvado?

Você "sabia" destas posturas? Certamente não; pode-se afirmar sem engano que você na realidade não tinha consciência das suas posturas! E o que acontece com todo mundo.

No início deste século, já Gurdjieff afirmava que estamos todos adormecidos, como se estivéssemos hipnotizados. Podemos estar adormecidos no nível do boi, dominados pelos nossos instintos; no do leão, dominados pelos nossos sentimentos; no da águia, dominados pelos nossos pensamentos.

O que corresponde à possibilidade de sermos, por exemplo, brutais (boi), histéricos (leão) ou fanáticos (águia).

PENSAR É ESTAR CONSCIENTE?

Muitos acreditam que, quando estão pensando, estão conscientes! Grande engano, os pensamentos também nos dominam: a melhor prova é que é extremamente difícil parar de pensar. Eis uma outra experiência do mesmo autor; comprovando isto: tente se concentrar num relógio a fim de ouvir seu barulhinho; em poucos segundos você não o ouve, pois os seus pensamentos o impediram!

Assim é também a linguagem do nosso corpo. É possível tornarmo-nos conscientes das nossas posturas e querermos controlá-las. Mas só conseguiremos isso durante alguns segundos ou no máximo minutos, dado o estádio evolutivo em que nos achamos. No entanto, como é grande o número de mensagens corporais que podemos entender claramente nestes tão breves instantes!

O HOMEM CONSCIENTE

Na esfinge, a cabeça de homem que emerge dos animais simboliza justamente o homem consciente, o homem que tenta despertar, que procura se livrar dos seus reflexos e condicionamentos, que espera sair da sua alienação, a fim de tomar-se a si mesmo nas suas próprias mãos. Isto consiste em ser não somente consciente dos seus três " animais", mas ainda dominá-los, dirigi-los. E dirigi-los corresponde a canalizar a energia, a serpente da esfinge, no nível que se quiser. São muito raros os homens que conseguiram isto.

A psicanálise – e também as escolas iniciáticas, como por exemplo a Ioga – sempre almejaram isto: desenvolver o Homem Consciente (Ioga em sânscrito quer dizer união!).

Não desanime, leitor, por não ser um Homem Consciente completo! Olhe o perigo dos alvos fixos!

Tome o exemplo do sábio silvícola que desconhece a úlcera duodenal de fundo nervoso. Você não sabe nem atirar de arco e flecha como ele, mas só preparar um pedaço de madeira para servir de arco já é um ótimo alvo do momento.

E você tem feito exatamente isso. Confronte o que percebe agora com aquela capacidade bem mais limitada de entender a si próprio e aos outros que você tinha *antes* de começar a ler este livro, e veja o quanto já progrediu!

Viu como você não estava consciente disso?

Capítulo 17
MÉTODOS DE MODIFICAÇÃO PSICOSSOMÁTICA DO HOMEM

Da mudança do corpo à mudança da pessoa.

DA MUDANÇA DO CORPO
À MUDANÇA DA PESSOA

Até agora falamos sobre a linguagem do nosso corpo. Vimos o quanto o nosso corpo expressa os nossos pensamentos, as nossas emoções e as nossas reações instintivas.

Podemos agora fazer uma pergunta: Se o nosso corpo expressa a nossa personalidade, será que, mudando certos

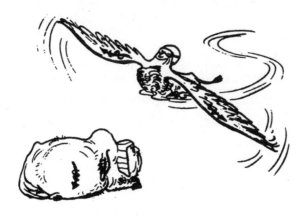

aspectos corporais, poderemos mudar algo no nosso ser mental, emocional e instintivo? Seremos uma "esfinge" diferente?

A resposta "sim" é óbvia, nas alterações do equilíbrio *quantitativo* entre os componentes do nosso corpo.

O exemplo clássico: que acontece se engordamos demais? Esperamos o elevador onde, antes, subíamos alegremente um ou dois lances de escada e acabamos por evitar andar em companhia de colegas que fazem isso, pois nos envergonhamos da nossa respiração ofegante por tão pouco esforço.

De dentro dos nossos amplos automóveis, apontamos com desprezo o ágil carrinho esportivo, embora secretamente invejemos seu alegre motorista – a barriga dele *cabe* sem problemas naquele espaço onde a nossa se apertaria contra o volante da direção!

Gordos demais, perdemos, no mínimo, a sinceridade. E, diante da angústia constante quando em grupo, reagimos, ou fugindo ("não gosto de ir à praia, prefiro ficar lendo"), ou agredindo ("não valem nada, esses carrinhos-esporte!").

Mas basta passar a alimentar-se racionalmente, perder o excesso do peso, e a personalidade antiga volta.

Dá-se o mesmo, mudando as posturas corporais?

Será que, alterando-se a qualidade apenas do equilíbrio geométrico da nossa estrutura física, isto influi na nossa mente? Se, desanimados, ficamos cabisbaixos, será que nos sentiremos mais confiantes, se erguermos o rosto? (Experimente agora, se puder – com alguém que esteja triste, ou, se for o caso, consigo mesmo!)

Logo nos lembramos da famosa afirmação do filósofo Pascal que diz: "Ajoelha-te e crerás". Ele queria dizer que a nossa postura física influencia a nossa mente; ao nos ajoelharmos, adquirimos uma atitude mental de prece, de humildade, de introversão, de submissão de todos estes fatores que nos induzem a um comportamento religioso.

Lord Baden-Powell, o fundador do escotismo, recomendava aos seus meninos, quando eles estivessem tristes e deprimidos, sorrir.

Afirmava ele que, sorrindo, se conseguia, quase automaticamente, remover o estado de tristeza. Experimente, leitor, experimente! Este livro não é para se ler. E para se agir!

Realmente desde a mais remota Antiguidade têm sido desenvolvidos métodos e técnicas que efetivamente conseguem mudar muito dos nossos estados emocionais e mesmo atingir a própria estrutura da nossa personalidade total. Vamos descrever sucintamente alguns destes métodos.

A Ioga

É provavelmente o método mais antigo que se conhece para educação da nossa personalidade integral. Nós ocidentais só ouvimos falar na Hata Ioga e pensamos que a Ioga é apenas uma ginástica; muito pelo contrário. As diferentes espécies de Ioga visam todas elas a fazer evoluir a nossa personalidade por inteiro.

Os seus pressupostos básicos poderiam ser resumidos da seguinte forma:

– Nós somos adormecidos. Não temos consciência nem do nosso corpo e das posturas que adotamos, nem das emoções e do desgaste que causam no nosso organismo quando negativas, nem dos nossos pensamentos.

– Para acordar, precisamos primeiro descobrir o nosso corpo, submetê-lo a uma série de exercícios e sobretudo de posturas, observar o que se passa na nossa vida instintiva, emocional e mental, dentro de nosso templo físico.

– Estes exercícios e posturas nos ajudam a descobrir nosso EU, isto é, este "alguém" em nós, que pode observar, conhecer e descrever. É o Estádio 4 do capítulo anterior.

– À medida que nós nos tornamos conscientes de nós mesmos, podemos passar a controlar e conduzir a nós mesmos. Podemos, através deste domínio, adquirir uma paz interior e mesmo chegar a estados privilegiados simbolizados pelos rostos dos budas.

– Existe dentro de nós uma energia que podemos passar a controlar progressivamente.

A Ioga tem sido fonte de inspiração de grande parte das escolas esotéricas, da Cabala hebraica e do zen-budismo, assim como de inúmeras técnicas modernas de integração psicossomática e de psicoterapia.

A dança

Enquanto a Ioga se baseia essencialmente em criar uma neutralização do corpo, provocando o silêncio da ausência de movimento, a dança permite um desenvolvimento da harmonia do nosso Ser através da harmonia dos nossos movimentos.

Uma das técnicas mais antigas provém da China: O Tai Chi Chuan, que é uma verdadeira meditação em movimento; são movimentos muito lentos, com dezenas de combinações diferentes. O princípio essencial é baseado no Yin-Yang do taoísmo, isto é, nas forças positivas e negativas da natureza; consiste em adotar constantemente, para cada movimento, o seu movimento oposto, de tal modo que o corpo e a mente se encontram sempre em movimento, tal como as ondas do mar. O Tai Chi se faz ao ar livre, sem música.

A dança é um instrumento poderoso de educação, pois lida ao mesmo tempo com as três dimensões universais: Tempo, Espaço, Energia. Eis um esquema de Laban:

Laban nos dá os seis elementos do movimento e as oito ações de base:

Espaço
- Movimento direto
- Movimento curvo

Duração
- Movimento lento, sustenido
- Movimento rápido

Energia
- Movimento forte
- Movimento leve

Assim, por exemplo:

ombros – rotação – forte – rápida
ombros – rotação – ligeira – rápida
ombros – rotação – forte – lenta
ombros – rotação – ligeira – lenta

Acrescente-se a isto desde o ritmo respiratório até a expressão do rosto do dançarino, mais o ritmo, o espaço e o tempo percorridos, e temos apenas um único e fugidio componente semântico mínimo; um semantema.

É exatamente o novo mundo de linguagem não verbal que o leitor está estudando.

Um gesto pode ser amplo ou curto, lento ou rápido etc. Para nós, os autores, a diferença entre a dança e as atitudes físicas de cada momento de todos nós é apenas isto: a linguagem é a mesma; só que uma se expressa em prosa corrente.

A outra é poesia.

As técnicas de "relax"

Inspiradas na Ioga, certos psicoterapeutas modernos têm desenvolvido métodos e técnicas com as seguintes finalidades:

– Libertar pessoas das tensões musculares causadas pela angústia e ansiedade provenientes em geral de excesso de objetivos a alcançar, conflitos de papéis sociais, sentimentos de culpabilidade.

– Descansar e recuperar energias depois de esforço físico e mental prolongado.

– Preparar o terreno para dormir, nos casos de insônia.

A técnica mais corriqueira é a seguinte:

– Deitar no chão ou numa cama dura.

– Os braços ao longo do corpo.

– Aspirar o ar até o máximo da capacidade pulmonar;

– Reter o ar enquanto se faz tensão com todos os músculos do corpo, inclusive do pé, do pescoço, do queixo e das sobrancelhas.

– Soltar o ar dos pulmões e relaxar os músculos ao mesmo tempo.

– Evitar pensar.

– O corpo calmo e a mente relaxada.

– Se tiver dificuldade em evitar de pensar, imaginar-se numa praia com o mar e o céu azuis.

– Ficar assim durante uns vinte minutos.

Existem métodos mais sofisticados com fins psicoterápicos, como por exemplo o "Training" autógeno de Schulz.

Eis uns dados estatísticos mostrando o quanto uma modificação da tensão do nosso corpo pode melhorar a nossa situação psicossomática; os dados que damos a seguir foram obtidos após dois anos de observação com pessoas com os quadros mais diversos, tais como:

perturbações vasomotoras, afecções cardíacas psicossomáticas, espasmos digestivos, insônias, depressões etc.

Número de casos   449
Resultados excelentes   209 ou 46%
Resultados bons   78 ou 17%
Em melhora   162 ou 37%

Mesmo em casos de instabilidade, agitação e impulsividade de adolescentes psicopáticos, o método tem-se revelado bastante eficiente.

O judô

JU (ceder, suavidade) e *DO* (doutrina, princípio) é mais do que técnica de defesa pessoal ou esporte. É um meio de desenvolver, mais harmonicamente, nosso ser integral.

A explicação é igualmente simples: aprendendo a desviar a força bruta atacante em direção que lhe neutraliza o efeito maléfico, adquirimos confiança tranquila em nós mesmos. E isto pelas *posturas* mentais e físicas tecnicamente adequadas a tal fim!

Mais particularmente o Aiki-Do tem por objetivo, como o afirma o Mestre Nakazono, de Tóquio, "inocular nos seus adeptos o amor e a beleza que existem em toda vida humana e realizar a permanência da paz no mundo". O ponto de partida, nesta via fundamental, se faz estudando a teoria e a prática dos movimentos.

MODIFICAÇÃO TERAPÊUTICA DAS ATITUDES CORPORAIS E MENTAIS

Alguns métodos se desenvolveram durante este século e mais particularmente na última década nos Estados Unidos, na Inglaterra e em Israel.

Assim, um israelense, Moshe Feldenkrais, desenvolveu uma teoria e um método segundo o qual nos podemos aperfeiçoar simultaneamente nos planos das sensações das emoções e da mente, a partir do movimento.

A correção do movimento é, segundo ele, a melhor via, porque o sistema nervoso se ocupa principalmente do movimento e que o movimento está na base de toda tomada de consciência. Através de exercícios especiais, ele consegue mudar diretamente a programação cerebral, pois o movimento só pode mudar ao se produzir, em primeiro lugar, uma modificação no cérebro. Os seus exercícios, dos quais existem centenas, visam a modificar o equilíbrio do corpo em pé ou sentado, em evitar desgaste inútil de energia em músculos desviados da sua verdadeira função. Pessoalmente um de nós conseguiu dobrar a sua capacidade de rotação da coluna vertebral em cinco minutos.

A Técnica de Alexander

F.M. Alexander, australiano, em torno de 1900, perdeu a voz. Nenhum tratamento médico dava resultado. Ele suspeitou que algum mecanismo vocal estivesse em jogo. Observando-se diariamente diante de um espelho, verificou aos poucos que o seu corpo inteiro estava envolvido, relacionado a posturas inadequadas.

Montou um instituto em Londres, onde ensinou o seu método a milhares de pessoas com problemas de postura como atores, dançarinos, músicos e atletas, assim como pacientes com problemas psicossomáticos em geral. Não se trata de "exercícios", mas de uma aprendizagem do uso adequado do corpo. Os principais instrumentos são um espelho, uma mesa e uma cadeira. Trata-se de encontrar novos hábitos e posturas e de se tornar consciente das potencialidades de cada um.

Um dos elementos principais da Técnica de Alexander é o encontro do uso correto do centro de gravidade; eis como muitas pessoas compõem o seu centro de gravidade:

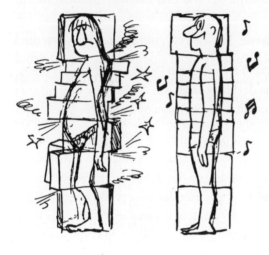

Desenho baseado no excelente estudo "Structural Integration" por Ida P. Rolf, Ph.D. publicado por "The Guild for Structural Integration" S. Francisco. Califórnia U.S.A.

Disto resultam malformações físicas, tensões de músculos dorsais, abdominais ou outras, e um mal-estar com repercussões sobre o estado geral de humor. Em engenharia e medicina, isto é estresse, ou seja, tensão.

Eis como se apresenta uma pessoa depois de se ter submetido à técnica de Alexander. Não há estresse, e sim repouso, harmonia.

É como se tivesse recolocado os "tijolos" da coluna vertebral no seu devido lugar. Desapareceram os sinais de "Eu diminuído" ou de "Hipertrofia do Eu" que já conhecemos de páginas anteriores.

Ida Rolf desenvolveu uma técnica análoga, conhecida nos EUA como "Rolfing". Para Rolf, homem integrado é um homem capaz de movimentos livres, de livre circulação, de livre comunicação, tanto do ponto de vista corporal como da expressão emocional. Só com um equilíbrio muscular é que se pode ter comunicação vital inteiramente livre; a energia e os fluidos vitais podem circular livremente. Faz-se isto através da adequação do corpo a uma linha de centro de gravidade em relação à atração terrestre; um "Rolfer" coloca as diferentes partes do corpo na sua devida posição, em dez sessões. O técnico reconhece só por olhar quantas "lições" uma pessoa recebeu.

A teoria em que se baseiam estas técnicas é simples: Nosso corpo, enquanto vivo, nunca fica "parado". Grupos de músculos opostos estão sempre em ação mutuamente exclusiva, quando estamos aparentemente imóveis, de pé. Corrigem constantemente a nossa verticalidade – assim como, ao volante de um carro, sempre forçamos a direção ora para um, ora para outro lado. Ora, basta um deslocamento constante de um elemento estrutural – digamos, a cabeça, ou a pélvis – e esses mesmos músculos *ficam ocupados* o tempo todo com a tarefa de uma correção unilateral. Como se, diante de um defeito na suspensão dianteira, o volante "puxasse" para um lado só.

Então o corpo "fala" com a boca torta – como alguém comunicando-se oralmente, mas de boca traumatizada – que é a exata analogia do que realmente aconteceu!

A psicoterapia corporal

Uma psicoterapeuta norte-americana, Ilana Churgin, procurou realizar uma síntese entre a técnica de Rolf e Alexander e uma técnica de psicoterapia em grupo chamada "Gestalt-Terapia". A Gestalt-Terapia consiste em colocar as pessoas diante das suas grandes contradições e tensões, reconstituindo o que se chama em psicologia a relação "Figura-Fundo", ou completando "Figuras inacabadas"; também como em psicanálise, se faz a catársis de emoções reprimidas.

Ilana Churgin descobriu, ao procurar desfazer "nós" musculares de tensão, que certas pessoas começavam imediatamente a associar a referida tensão com acontecimentos passados ou a revivê-los. Esta descoberta lhe permitiu elaborar um método que consiste em provocar verdadeiras catársis e revivências de acontecimentos antigos, através de massagem direta de partes musculares em tensão, ou a partir de simples gestos estereotipados. Por exemplo, o sentimento de culpa está muitas vezes localizado nos músculos dorsais. Feldenkrais já tinha notado que toda emoção negativa se "inscreve" nos músculos extensores dorsais.

Tudo se passa como se, durante a infância, ciclos energéticos houvessem sido interrompidos, localizando-se então nos músculos e correspondendo a gestos inacabados. Por exemplo, se cada vez que uma criança quiser chorar os pais a impedirem, os seus músculos do maxilar inferior ficam tensos.

Um de nós assistiu a cena de adultos chorando, simplesmente pela massagem que Ilana Churgin fez nas articulações dos seus maxilares. O sentimento que tinham é que estavam a chorar todas as lágrimas que não verteram durante a vida inteira!

Tal é a necessidade universal humana de amor: o triste apelo que é a fome de amor, expresso na ancestral fala do corpo – a lágrima –, foi reprimido *"com sucesso"*... mas quem poderá dizer à custa de quanto sofrimento neurótico, quer para a vítima, quer para o seu grupo de relações humanas?

Conclusão

A UNIDADE DO SER

O leitor, sem dúvida, já percebeu a quantidade impressionante de gente que, de uma ou outra forma, colaborou para tornar este livro possível.

Gente que tomou atitudes corporais diante dos autores, gesticulando, variando de expressão. Demonstrando suas emoções de cada instante, numa sucessão contínua de morfemas cinéticos. Tudo isso acompanhado de palavras faladas, que ora concordavam, ora totalmente contradiziam o que o corpo nos comunicava.

(Comentário de um revisor, ao ler isto, e que fizemos questão de incluir: "De energema em energema o morfena enche o papo!")

O assento vago, à direita dos autores, já é para o amigo leitor tomar o seu lugar. Agora, decerto, também já sabe ler um semantema desses!

Sejamos despretensiosos: não somos melhores do que o leitor, nem ninguém. Você está cercado daqueles mesmos colaboradores: a própria humanidade. Por isso poderá adquirir os mesmos conhecimentos, e até ultrapassar-nos facilmente, se assim o desejar. Questão de tempo, interesse, paciência e método.

Foi o que aconteceu conosco. Expostos aos mesmos gestos e atitudes que todo mundo, acumulamos o acervo de informações cinésicas do homem contemporâneo. Apenas esta diferença: nossas atitudes profissionais já exigiam uma especialização crescente na OBSERVAÇÃO E COMPREENSÃO das atitudes humanas, na área de COMUNICAÇÕES. Foi o papel social do psicólogo, do psicoterapeuta, do autor de testes e pesquisas e do professor de faculdade, intensamente vivido pelo Pierre. E o do repórter, articulista, *designer* professor e técnico em informática visual, entusiasticamente vivido pelo Roland. A gente foi se especializando sem sentir, inconscientemente.

Nos últimos cinco anos intensificamos nossas pesquisas sistemáticas conscientemente dirigidas para o objetivo da DESCODIFICAÇÃO ESTRUTURAL dos gestos.

Observação, análise, classificação, pesquisa comparativa e uma exaustiva comprovação, utilizando recursos da psicologia aplicada, nos permitiu estes registros de semantemas cinésicos, e vislumbrar-lhe a estrutura energética. (Se tudo isso nos confere alguma autoridade, que seja a de declarar que mal tocamos de leve a superfície da matéria em questão!)

Agora, imagine-se o leitor o que não foi o efeito cumulativo, em nós, do contato com as emoções de tanta gente! Nesta interação contínua, quanta verificação crescente das ânsias do Homem! Eis o seu denominador comum:

A ÂNSIA DE PRESERVAR O "EU"

É uma constante. Dominante de mil gestos e atitudes de todos, toma todas as formas imagináveis em todas as formas

da vida. Esta ânsia em cada um de nós consiste em eliminar as dúvidas, contradições e conflitos que resultam em tensões musculares e desgaste inútil de energia.

Ajudar o leitor, através de melhores comunicações, a aproximar-se cada vez mais desse ideal nunca alcançado que é a sua própria unidade – e a unidade interpessoal – foi o objetivo último deste livro.

Índice dos semantemas

Acusação 139
Ameaça 139
Atenção, interesse (desinibido) 127
Avidez 131
Amor 205
Culpa (Sentimento de...) 167
Desafio 161
Desinteresse 129
Desconfiança 151
Expectativa 133
Firmeza 145
Fraqueza 145
Grupo (União amistosa em...) 241
Invasão de território (com troca inconsciente de liderança) 243
Invasão de território – 1 (Uma sequência de) 236
Invasão de território – 2 (Final da sequência) 238
Inveja 149
Linguagem dos objetos 165
Medo 143
Mutismo 153
O Eu 135

Pavor 143
Persuasão (Esforço de...) 155
Proteção 159
Receio 141
Regressão (a um estado infantil) 163
Resistência passiva, teimosia 125
Sair (de uma situação) 157
Sensualidade 147
Submissão – Domínio 137
Tensão (Agressão contida) 183
Tensão (Dúvida verbal) 182
Tensão filial 181
Tensão (Hostilidade inconsciente) 182
Tensão (Hostilidade reprimida) 183
Tensão matrimonial 181
Tensão (Mãos demonstrando...) 179
Tensão (Mãos e pés demonstrando...) 180
Tensão (Autoagressão) 182
Ternura 123

Índice analítico

Abdômen 28-30
  ausência de contato de 123
  avançado 28s., 35s., 201
  em recuo 36
  hipertrofiado 29
Abstenção sexual 100
Ação 66, 72, 75, 254
Acanhamento (cf. timidez)
Aceitação 36, 67, 233s., 239
  parcial 239
Acusação 138
Afastamento 64, 150
Agressão 70, 138, 250, 264
  contida 183
  descontrolada 143
Agressividade 49, 177s., 227
  contida 119
Águia 23, 27, 34-36, 47, 64, 75,
    98-101, 114, 123, 126, 136,
    141, 147, 166, 170, 172, 176,
    179, 183, 193s., 197-200, 205,
    207s., 210, 215s., 258
  amor de 197-201
Aiki-Do 270
Alegria 47s., 122, 145, 176, 215
Alexander, F.M. 271s.
Alimentação 28, 35
Alvo 171-173, 260
Amargura 50
Ameaça 138
Amor 191-218
  de águia 197
  de boi 196s.
  de leão 193
  maternal 214
Análise "biogenética" 174
Anarquia 226
Angústia 32, 130, 168, 268
Ansiedade 32, 72, 168, 171

Antipatia 82
Aparelho psíquico 173
Apoio 135, 137, 139
Apreço 123, 266
Aprovação 35, 123
Ardrey, Robert 227
Ascendência 137
Atenção 127, 217
  diminuída 217
Atitudes corporais e mentais
  modificações das 264-271
Atração
  mútua 209
Autoagressão 177, 182
Autoaprovação 64
Autossatisfação 64
Avanço 65, 142
Avidez 130

Baden-Powell 265
Beatitude 122
Beethoven, L.V. 258
Birdwhistell, Ray 20
Boca 47s., 128
  c. maxilar inferior salientado 50
  frouxamente entreaberta 149
  mordendo dedo, unha 182
  sorrindo 133
  trancada 153s., 182
Boi 23, 27-30, 47, 75, 96, 98-102,
    114, 123s., 128, 130, 136, 170s.,
    183, 194-201, 205, 207s., 213,
    215s., 225, 242, 253, 258
  acintoso 159
  amor de 195s.
  dormitando 128
Braço(s) 35s., 43
  apontando em direção à
    companheira 225

c. mão fechada 64
cruzado(s) diante do tórax 64,
  90s., 114s., 125, 141, 153, 155,
  224, 239
  esquerdo
  preso pelo direito 181
  estendido 147
  formando "grade"
  protetora 150, 155
  protegendo o "leão" 124, 141

Bradipneia 33
Brinley 102
Brutalidade 259
Buda 34, 266

Cabeça 34-37, 47-52, 65s., 155
  avançada 35s., 63, 67, 133
  baixa 34, 63
  descoberta (sem chapéu) 237
  desviada lateralmente 74
  em posição normal 34
  em recuo 64
  encolhida entre ombros 49, 143
  erguida 34s., 139
Caricatura didática 34, 108, 111,
  140
Censura 51
Churgin, Ilana 273s.
Cinésica 21, 87-92, 184, 229
Cobra (cf. serpente) 161
Comer
  c. a mão 161
Comportamento interpessoal
  61-68, 72, 112
Comunicação consciente 90
  inconsciente 90
  teoria da 26
Concentração 47
Concordância 29, 36, 64, 67, 76s.,
  115, 185, 209
  (cf. tb. harmonia)
Confiança em si 65
Conflitos 74, 224, 268
  internos 206, 216
Consciência 27, 42
  (cf. tb. águia)

Contentamento (cf. alegria)
Contradição 35s.
Contrariedade 48
Coragem 143
Corbusier 229
Corpo 159, 161
  descontraído 63, 66, 128
  em posição fetal 160
  encolhido 166
  inclinado em direção ao
    objetivo 127, 132, 243
  em direção contrária 63, 120,
    140
  para trás 64
  com músculos descontraídos
    67, 128
  retesado 63s.
  tendendo fortemente para frente
    139
  (cf. tb. Tronco)
Costas 153
  encurvadas 49
Cotovelo(s) 153, 155, 182
  apoiado(s) na mesa 133, 161
  nas pernas cruzadas 63, 65
  apontando em direção ao
    parceiro 155, 161, 225, 240
  empurrando o concorrente 161
Culpa, sentimento de 166

Dança 266
Dedo(s)
  abertos 181
  acusador 138
  apontando o "leão" 63, 65
  para os órgãos genitais 28-30
  do pé explorando 141
  "martelando a mesma tecla" 74
  em repouso 115
  entrelaçados 239
  estendido 139
  esticados e entreabertos 115
  morder 182
  na boca 128, 130, 182
  polegares no cinto 28-30
  sacudindo 139
  tentando separar os lábios 153

Defesa 114, 141, 230
Delgado 102
Desafio 160
Desânimo 47, 217
Desaprovação 36, 51, 64
Desarmonia 53-60, 64, 82, 87,
187, 253
(cf. tb. Discordância)
Descartes, René 25
Desconfiança 150
Descontração 176, 217
Desejo unilateral 214
sexual 102
Desembaraço 19, 66
Desgosto 50
Desinteresse 129, 143
Desprazer 48
Dilema 35s., 140
Discordância 49s., 64, 72, 77, 87,
184, 186
sonora 74
(cf. tb. Desarmonia)
Discórdia 77
Displicência 143
Distância 136, 222, 225, 230, 232s.
formal ou cerimonial 234
ideal 223
social 233
Domínio 42, 136s., 242, 266
intelectual e espiritual 35
(cf. tb. Águia)
Dúvida 48, 91
verbal 182

Emoção(ões) 30, 32, 122s., 128,
181, 184, 206, 263, 271, 274
ausência de 128
conflito de 224
forte 32
Encanto 122
Energema 119, 178, 184-187, 237,
240, 248, 276
Energia 93-103, 130, 134, 142,
166, 170, 174s., 178, 187, 204s.,
212, 214s., 217s., 242, 253, 255,
260, 266, 271, 273, 277
acumulação de 168

recuperação de 268
sublimação de 123
Enlevo 122
Equilíbrio muscular 273
Escala evolutiva 250-255
Esfinge 26s., 35, 42, 71, 93, 95s.,
98, 101, 114, 123, 174, 198s.,
211, 216, 240, 252, 254, 256s.,
259s., 263
sinais da 174
Espaço social e pessoal
(cf. Território)
Espanto 47, 166
Espera 49
Estado de choque 216
Estímulos externos 34
Eu 31, 58, 64, 71-74, 76, 78, 108,
114, 130, 134, 170, 182, 204,
211, 215, 219, 251, 254s., 266
afirmação do 66
defesa do 66
desajustes do 195
descoberto 132
diminuído 31, 148, 272
em conflito 254
emotivo 209
enfeitado 201
engrandecido 148
equilibrado 31
firme 145
fraco 145
hipertrofia do 31, 272
identificação do 229
imposição do 73
limites do 221-235
preponderância do 30
preservação do 71, 108, 277
satisfação do 130
Evolução psicológica
estádios da 248-255
Expectativa 74, 132
de confirmação da satisfação
esperada 82
de continuidade da insatisfação
presente 125
Êxtase 204

281

Fanatismo 259
Feedback 26, 209, 215
Feidenkrais Moshe 27, 271, 274
Firmeza 143
Fluxo energético 103, 108, 140,
171, 176, 187, 204, 206, 209
Fome 102
Franqueza 145
Fraqueza 145
Freud, Sigmund 123, 166, 172s.,
221
Fronteiras (cf. Território)
Frustração oral 131
Fuga
descontrolada 143
Fumar
compulsivamente 180

Gestalt 35
"Gestalt-Terapia" 273s.
Gestos
convencionais 233
fluidos 176
harmônicos 176
inacabados 274
inconscientes 174
imprecisos 217
origens dos 69-78
precisos 217
Greene 138, 169s.
Grupo, união amistosa em 240
Gurdjieff 258

Hall, Edward 222, 233
Händel 59
Harmonia 34s., 51, 53-60, 64-68,
76s., 252, 255, 267, 272
(cf. tb. Concordância)
Heath 102
Hess 102
Hipotálamo 98, 102
Histerismo 259
Homem
águia 251
boi 250
consciente 259s.
leão 251

Hostilidade
inconsciente 182
reprimida 183

Identidade emotiva 124
Imitação 43, 67, 91
Impaciência 180
Importância pessoal 65
Impulsos 173
Informação, Teoria da
princípios básicos 85-92, 184s.
Insônia 270
Instinto 34, 201, 206, 209, 251,
259
Interação 36, 72, 90, 189, 232s.,
247, 254
com reservas 233
mútua emocional 231
total 232
Interesse 127, 132, 212, 224
desinibido 127
velado 127
Intimidade 232
Invasão de Território
(cf. Território)
Inveja 148
Ioga 159, 266

Jejum 100
Joelhos
unidos 151, 153, 159
aos do parceiro 159
Judô 270s.

Keller, Helen, 221

Laban 267s.
Lábio(s)
abertos 51
arqueados para baixo 48
para cima 48s.
comprimidos 49
em bico 48
presos entre dentes 152s., 155
sendo mordidos 153
superior com músculos
contraídos 50

Lágrima
  reprimida 274
Leão 23, 27, 30-33, 47, 64, 96,
    98-102, 107, 123s., 134s., 138,
    149, 155, 171s., 176, 179, 183,
    194, 196, 198s., 205, 208, 215,
    225, 242, 254, 258
  amor de 196
Liberdade sexual 199s.
Líder ditatorial 73
Liderança 43, 67, 91, 115, 252
  troca de 241s.
Limites do Eu 221-235
Linguagem corporal
  domínio 245-260
  dos objetos 164
Lorenz, Konrad 227
"Love-back" 209, 215
Lowen, Alexandre 169, 173s.
Luz
  verde 176
  vermelha 177s.

Mão(s) 122, 125, 129, 137, 147,
    153s., 159, 161, 179, 182
  abaixada 137
  acariciando de leve 125
  o próprio corpo 149
  acendendo e apagando o
    isqueiro 183
  afagando cabelos ou pelos 147,
    201
  apertando firme 145
  afastando o copo 63s., 66, 111
  amassando o lenço 179
  apertando a poltrona 183
  ritmicamente, dinheiro 131
  apoiada 159
  na mesa 138
  nas pernas cruzadas 63, 66
  apoiando a cabeça 157
  batendo o lápis nos dentes 182
  os dedos sobre a mesa 157, 180
  brincando com a aliança 181
  com caixa de fósforos 180
  com carrinho 161
  coçando a cabeça 180

com as pontas dos dedos se
  encontrando 155
com os dedos apontando o
  "leão" 63, 66
com os dedos entrelaçados 239
com indicador e polegar se
  encontrando 155
com palma para cima 63, 67,
  146, 153, 155, 180s., 186, 243
com polegares no cinto 28, 30
crispadas 149, 150
atrás das costas 179, 186
cruzadas sobre o peito 125
dele puxando a dela 243
destruindo clips ou fósforos 183
direita 125, 159, 181
presa pela esquerda 237
puxando a do parceiro 259
enrolando cabelos 180
esquerda 125, 133, 159, 181
na boca 133
prendendo a do parceiro 159,
  243
a direita 237
fechada 63s.
frouxa, que não responde ao
  aperto de mão 82, 143
mexendo na boca 182
mostrando a hora 157
no coração 134, 180
no ombro do parceiro 159
oferecendo gorjeta 52
percorrendo o corpo do
  parceiro 125
perto da boca 131, 133, 153
pressionando de leve 125
puxando o cabelo 180
rasgando papel 183
sacudida em direção à boca 155
se arranhando 182
segurando (agarrando)
objetos 151
segurando bandeja 136, 161
sob o queixo 49, 74, 128, 132
subjugando 243
Maxilar
  tenso 183

283

Medo 102, 142
Mensagem(ns)
emissão 74, 85, 91
visual 109
Mente, controle da 34
hipertrofia da 34
normal 37
Modéstia 249, 254
Modificação psicossomática
métodos de 261-274
Moles, A. 185
Moreno 209
Morfema 185
cinético 273
discordante 248
Morris, Desmond 227, 267s.
Movimento 113, 267, 273
ausência de 266
cinésico 252
Muro 210
psicológico 214
Murro
na mesa 177
Músculo(s)
contraídos 124, 167s.
elevadores do lábio superior
contraídos 49
frontal 49s.
contração 49
orbicular 49s.
contração 49
distensão 49
relaxados 127, 129, 170, 269
Mutismo 152

Nakasono 270
Narcisismo 30
Narinas
abertas 143
Nariz 47
com músculo compressor
contraído 50
franzido 155
levantado 64
Neufert 229
Nitidez 187s.
Normopneia 33

Objetos 228
aliança 181
armas 165
bandeja 136,161
bolsa 42, 44
cachimbo 165
chapéu
na cabeça 237
fora da cabeça 239
charuto 131, 166
cigarro 64, 180
cinzeiro 229
clips 183
copo 63, 66, 111, 136
defendendo o "boi" 124
espelho 165
fósforo 180, 183
isqueiro 183
lápis 182
sobre a orelha 237
lenço 183
leque 135
linguagem dos 164
motocicleta 32
papel rasgado 183
poltrona 183
roupa vistosa 159, 201
sapato 207s.
toalha 136
Observação 49
Óbvio 224, 234
Olhar 127, 141
ausente 182
claro 52
de espanto 167
de soslaio 33, 151
desviado num diálogo 82, 144
firme 144
superior 136
Olhos 47, 112
arregalados 143
atentos 127, 133
baços 48
brilhantes 48
Ombros 167
encolhidos 167
protegendo a cabeça 143

Orgulho 50, 65, 249
Origens dos gostos 69-78
Orwell 102
Ouspensky 248

Pálpebras
  com músculo orbicular
    contraído 49
Palpitação 33
Pânico 143
Pascal 295
Passos 161
Pavor 142
Pé(s) 161, 180s., 139
  ancorado 124, 243
  apontando
    em direção ao colega 115,
      157, 239, 243
    em direção à saída 157, 237
    em direção oposta ao parceiro e
      com tensão 151
    para dentro do grupo amigo
      241
  avançado 63, 66
  com dedo explorando 141
  com dedos "martelando a
    mesma tecla" 74
  com flexão lateral 180
  longitudinal 180
  que não param 180
  unido ao parceiro 158
  virado 237
Peito
  descoberto 132
  estufado 31, 130
  (cf. tb. tórax)
Pensamento 251, 259
Percepção 39-44, 55, 58, 73-78,
    81, 91, 96, 108, 185, 210, 218,
    232, 247, 254, 257
  centrações da 96
  cinésica 111
  teoria da 85-92, 185s.
Perl 169
Perna(s) 42
  avançadas 63, 65

balançando em direção ao
  oponente 237
bambas 137
cruzadas 66s., 224, 240
com pés apontando para dentro
  do grupo 241
direita 224s.
encolhidas 147
esquerda 224
firme 63, 66, 137
flexionadas 239
formando "grade" protetora
  150s.
sobre a mesa 237
Personalidade, educação da
  266-270
Persuasão, esforço da 154
Piaget 96
Pinneo, Lawrence 101
Poder 32, 225s.
  com discernimento 226
  em busca do bem 225s.
Polegares no cinto 28-30
Prazer 48
Profissão
  certa 217
  errada 217
Propósito firme 49
Princípio psicofisiológico 169
Proteção 158
Psicoterapia corporal 273s.
Punho cerrado no "leão" 139

Queixo
  apoiado nas mãos 49, 133

Raciocínio 193
Raiva 48, 186
Razão 181, 201, 206, 209, 225, 253
Reação 88
  cinésica 229
  verbal 229
Receio 140s., 144
Receptividade 132
Recuo 36, 64, 142
  sob protesto 64
Reflexão 47

Regressão a um estado infantil 128, 130, 162
Reich, Wilhelm 169, 172
Rejeição 32, 35s., 64, 124
de contato humano 151
total 236
Relax 67, 268-270
Repouso 176, 272
Repressão 173
Reprovação 167
Resistência passiva 132
Respiração 33s., 98
aumento da 33
diminuição da 33, 143
Retraimento (cf. Timidez)
Ritmo cardíaco
intensificado 33, 147
Ritmo respiratório
intensificado 143
Roer unhas 172, 180
Rolf, Ida P. 188, 273
"Rolfing" 273
Rosto 47, 122, 125, 127, 129, 135, 138, 141, 157, 182, 186
abaixado 136
cerrado 139
levantado 136
sorridente 132, 186
virado em direção contrária 151, 243

Sair (de uma situação) 156
Saussure 121
Scheflen, A.E. 67
Schulz 296
Semantema 118, 184-187, 235, 237, 239s., 257, 268, 276
cinésico 278
discordante 186s., 224, 252
harmônico 186s., 129
grupal 240
Sensualidade 28s., 102, 123, 146, 148, 195s.
ausência de 123
Sentar
na beira 157
no chão 161

Sentimento 194, 251, 259
dinâmico 138
estético 138
Septo 102
Seriedade 47
Serpente 95s., 123, 128, 130, 134, 140, 142, 173, 243, 260
retraimento 128
(cf. tb. energia)
Símbolos 21, 23-37, 42, 97
Simpatia 43, 82
Sinceridade 67
Sistema
ergotrópico 103
trofotrópico 103
Sobrancelhas
abaixadas 47
franzidas 151, 167
levantadas 47, 74, 167
Sobrevivência 72, 76, 124, 130, 194, 230, 233
Somer, Robert 234
Sorriso 47-51, 71, 82, 90s., 114, 132, 144, 186, 208, 224, 237, 265
básico 49, 51
bom 51
desprezo 51
educado 49, 51
maldade 49, 51
muxoxo 48
resignação 50
seco 64
social 248
unilateral 50
Stress 168, 172, 272
(cf. tb. Tensão)
Submissão 76, 137
Suor 143
Superego 106, 174
Superioridade 50, 135, 137, 139
Surpresa 47, 49
Suspiro 32, 131, 135
Susto 167

Tai Chi Chuan 267
Tálamo 102
Taoísmo 267

Taquipneia 33
Técnicas psicoterapêuticas 174
Teimosia 129
Tell, Guilherme 171
Tensão 32, 108, 114s., 128,
168-183, 223, 268s., 272s.
filial 181
matrimonial 181
muscular 168-176, 269s., 272s.,
279
ausência de 128
de costas, braços e mãos 183
Teoria da informação e percepção
estética 185
Ternura 122s., 196, 214
Território 108, 112, 115, 221s.,
224-234, 236s.
fusão 241
Terror 143
Tiago 227, 252
Timidez 31, 145
Tompakow 185
Tórax 43
avançado 137
côncavo 32s., 135
convexo 32, 135, 137
curvado para dentro 215, 238s.
em evidência 63, 65
encolhido 30s., 135, 137, 149,
239
estufado 135, 137, 149, 237
firme 145
movimentos do 33
normal 31, 135
preponderância 30
recuado 90s., 137
salientado 50
"Training" 269
Tranquilidade amorosa 122
Tremor 143

Tristeza 47s., 265
Tronco
avançado 63, 66, 186
curvado 135, 239, 243
inclinado em direção ao líder
115
em direção ao parceiro 243
em direção contrária ao objetivo
51, 111, 113, 151, 157, 243
para trás 50
recuado 135
(cf. tb. corpo)

Unhas
morder 182
roer 172, 180
União voluntária 226
Unidade do ser 275-277

Vaidade 30
Veias
pulsando 186
Vida
emocional 27, 32, 215
(cf. tb. Leão)
instintiva e vegetativa 27, 29s.,
35, 42, 215
(cf. tb. Boi)
mental 27, 42
(cf. tb. Águia)
Vigor 187
psíquico 143
Vocabulário prático 119-190,
179-183
regras para o uso 107-116
Vocação 217s.

Wallis, John 25

Zen-budismo 266

Conecte-se conosco:

f facebook.com/editoravozes

◙ @editoravozes

𝕏 @editora_vozes

▶ youtube.com/editoravozes

◯ +55 24 2233-9033

www.vozes.com.br

Conheça nossas lojas:

www.livrariavozes.com.br

Belo Horizonte – Brasília – Campinas – Cuiabá – Curitiba
Fortaleza – Juiz de Fora – Petrópolis – Recife – São Paulo

EDITORA VOZES LTDA.
Rua Frei Luís, 100 – Centro – Cep 25689-900 – Petrópolis, RJ
Tel.: (24) 2233-9000 – E-mail: vendas@vozes.com.br